見え始めた
近未来の
新市場

空間×ヘルスケア2030

日経BP 総合研究所
Beyond Health［編］
with Visionary Flag Project members

「健康で幸福な人生100年」に向けて
共に未来の旗を掲げる

日経BP

空間×ヘルスケア
2030

はじめに

人生100年時代を健康で幸福に過ごすには？

「空間×ヘルスケア（"くうかんへるすけあ"）」とは何か。それは、確実にやってくる人生100年時代を、すべての人が健康で幸福に過ごすという目的を達成するためのビジョンです。

私たちは「健康で幸福な人生100年時代」を2030年に実現したい／実現できると考え、本書のタイトルでもある「空間×ヘルスケア 2030」というビジョンを掲げました。

人生100年時代は、私たち現役世代が生きている間に確実に訪れる近未来です。とはいえ、どれだけの人が「健康で幸福な人生100年」を過ごせるでしょうか。

2025年、日本は5人に1人が後期高齢者（75歳以上）という、世界に類を見ない超高齢社会に突入します。そして、2025年の医療費・介護給付費は約63兆円と予測されています。これが2040年になると、90兆円にまで膨れ上がると言われています。

一方、2018年の税収は実はバブル期を超えて過去最高の60兆円強でした。しかし、税収が90兆円にまで及ぶことは、まずあり得ないでしょう。医療費・介護給付費が税収を超えていくのは、間違いない未来です。このままでは、日本国民に十分な医療・介護サービスが行き渡らなくなる――。そんな近未来が訪れることも、想像に難くありません。

私たちは、過度に医療・介護サービスに頼ることなく日常生活に制限ない期間＝健康寿命を延ばしていかなくてはなりません。そのために必要なことは、発症して病院で診てもらう前の段階で予防すること、つまり未病の改善を続けることです（未病＝健康状態から発病状態へと連続的に変化している状態）。

テクノロジーも進化しています。例えば、ＡＩ（人工知能）を活用して、それぞれの人のライフスタイルに合わせた検診のチラシを配り受診率をアップさせる――そんなふうに人々の行動変容を促す技術は、一部で既に実用化しています。

さらには、行動変容を促すまでもなく、普段通り生活しながら未病の改善に資するようなテクノロジーも進展しています。例えばトイレを使うだけで、尿や便の成分を分析して自覚のない初期段階の様々な疾病を見つける技術です。この技術を実装すると、がんのステージ０や１も超早期の発見・治療が可能となり、より多くの人の命は救われ健康状態も持続できます。トイレを使うことは日常生活そのものです。人々は予防行動を意識することなく、未病の改善を進めることができるようになるわけです。

未病の改善を進めるためのあらゆるハードやソフト、そして人々の願いや想いを、2030年までに住宅やオフィス、モビリティなど人が生活するあらゆる空間に社会実装する——。私たちが「空間×ヘルスケア 2030」というビジョンを掲げて目指すのは、こんな世界です。

2030年頃には、5Gが通信インフラとして成熟期を迎え、最先端技術を実装するインフラが出来上がっていると予測されます。行動変容を促したり、居ながらにして未病の改善につなげたりする個別の技術も、かなりの進化を遂げているでしょう。

ただし、「空間×ヘルスケア 2030」というビジョンを社会実装するためには、医療・ヘルスケア分野のみならず、あらゆる人・企業が持っているアイデアや技術・サービスを、新結合させることが必要不可欠です。

そのために、私たちは本書の表紙で描いたようなイラストをつくりました。様々な有識者と議論を重ねたアイデアを誰にでも分かりやすい形にビジュアル化し、「空間×ヘルスケア 2030」で描く未来像を、一目でイメージしてもらえるようにすることが目的です。

このイラストを、私たちは「ビジョナリー・フラッグ」（未来の旗）と呼んでいます。これまでに住宅やワークプレイスなど様々な空間のビジョナリー・フラッグを掲げてきました。

そして、こうして掲げた未来の旗について、自ら運営するウェブメディア「Beyond Health（ビヨンドヘルス）」などを通じて情報発信し続けてきました。すると、医療・ヘルスケア分野にとどまらず、様々な分野の企業や研究者の方々から多くのご意見・ご提案を頂くことができました。今まさに、メディアを活用したオープン・イノベーションが進み出したというわけです。こうして次々と生まれてくる「知」の新結合により、健康で幸福な人生１００年時代創出という大きな社会課題の解決を進めることができると私たちは考えます。

このビジョンが、読者の皆さんに共鳴いただけましたら幸いです。皆さんがお持ちのアイデア・技術・サービスが「空間×ヘルスケア ２０３０」といかに化学反応を起こせるか、本書を通じて一緒にお考えくださいますよう、お願いいたします。

日経ＢＰ 総合研究所 戦略企画部長　高橋博樹

第3章 未来のオフィス・未来のワークプレイスはこうなる ～Beyond Workplace～

第6章
「空間×ヘルスケア 2030」実現へのカギ

第7章 私が考える「空間×ヘルスケア2030」

第8章 「空間×ヘルスケア ２０３０」社会実装への道筋

第1章

「空間×ヘルスケア 2030」とは

2030年に向けて、
住宅、オフィス・ワークプレイス、薬局、モビリティ…
人間が生活を営むあらゆる空間を
未病の改善や健康増進に資するものにする――。
日経BP 総合研究所／Beyond Healthが提唱する
「空間×ヘルスケア 2030」とは。

VISION

２０３０年に実現しているべき空間「未来の旗《ビジョナリー・フラッグ》」をイラストで提示

「健康で幸福な人生１００年時代を創る」ためのビジョン――。それが、日経ＢＰ総合研究所／Beyond Healthが提案する「空間×ヘルスケア２０３０」だ。２０３０年に向けて、住宅、オフィス・ワークプレイス、薬局、モビリティなど、人間が生活を営むあらゆる空間を、未病の改善や健康増進に資するものにしていくというコンセプトである。

興味がなかったプレーヤーに関心を

街のあらゆる空間が対象になるということは、そこに関わるあらゆるプレーヤーの参画が不可欠になる。従来の医療・ヘルスケア業界の枠にとどまらず、建築・建材、家電、設備、自動車、半導体、情報通信、不動産、保険など様々な業種・業界の連携によるオープンイノベーションが必要だ。逆に言えば、あらゆる業種・業界にとっての新市場になる。

では、２０３０年に実現を目指す「空間×ヘルスケア」とはどのようなものなのか。私たちは、２０３０年に実現しているべき空間をイメージしてイラスト化した。あるべき２０３０年の未来予想図を分かりやすく表現したビジョナリー・フラッグ（未来の旗）である（18～25ページ）。

イラストで示したのは、分かりやすさを重視したからだ。イラストを見て、これまで興味がなかったプレーヤーが「面白そうだ、自分たちの技術が生かせるのではないか」と関心を寄せる可能性がある。こうしたビジョナリー・フラッグを掲げることで、発想が異なる、いわゆる〝ねじれの位置〟にいる業種・業界の連携を促すキッカケになると考えた。

これが４つのビジョナリー・フラッグ（未来の旗）

私たちが現時点で掲げているのは、４つのビジョナリー・フラッグ（未来の旗）である。すなわち、「Beyond《ビヨンド》 Home《ホーム》（未来の住宅）」「Beyond《ビヨンド》 Workplace《ワークプレイス》（未来のワークプレイス）」「Beyond《ビヨンド》 Pharmacy《ファーマシー》（未来の薬局）」「Beyond《ビヨンド》 Mobility《モビリティ》（未来のモビリティ）」だ。

まずは「住宅」「オフィス・ワークプレイス」という、人が生活を営む上で基本となる住と職の空間を選んだ。１日のうちの多くの時間を過ごす場所だからこそ、未病の改善や健康増進に資する絶好のハブになると考えた。そして、「空間×ヘルスケア２０３０」を街全体で実現していく上で、あらゆる空間をつなぐ結節点（インテリジェント・ハブ）として私たちが着目したのが「薬局」である。同様に、場所と場所をつなぐ役割として重要になる「モビリティ」の未来像も整理した。

第2章～第5章では、これら4つのビジョナリー・フラッグについて順に紹介していく。Beyond Home（未来の住宅）は、単に寝食する空間ではなく、意識的または無意識的に健康をつくり出せる空間として描いた（第2章）。Beyond Workplace（未来のワークプレイス）は、企業が提供する狭義のオフィスだけでなく、〝仕事をする空間〟としてのワークプレイスという空間で、従業員の健康と幸福を創り出し、イノベーションの創出や生産性の向上を図るには、どのようなシカケや仕組みを盛り込めばよいかを考えた（第3章）。Beyond Pharmacy（未来の薬局）では、「医師が処方した薬を患者に渡す場所」という従来の薬局・薬剤師のイメージが今後、ガラリと変わっていく姿を示すと同時に、未来の薬剤師を医療と患者をつなぐキーパーソン「ヘルスケア・マイスター」と名づけ、未病改善の健康アドバイザーとしての姿を描いた（第4章）。

これらに対し、「Beyond Mobility（未来のモビリティ）は、議論の緒についたばかりの新たなビジョナリー・フラッグである（第5章）。モビリティの「場所と場所をつなぐ」という役割を踏まえ、完全自動運転や空飛ぶクルマなども視野に「空間×ヘルスケア ２０３０」における未来像について検討を始めている。

目指すは社会実装

「空間×ヘルスケア２０３０」の実現は、様々なテクノロジーの進歩や普及が前提となる。その１つが、スクリーニング（各種センシング技術により、検診や医療インフラに行くべき人を振るい分けること）である（第６章）。これまで病院内で行われてきたスクリーニングが、これからは住宅やオフィス・ワークプレイス、薬局など、空間のあらゆる場所で実現する可能性がある。

こうした技術自体は既に存在しているものも少なくない。しかし、実際に生活空間で利用できるようにする場合、様々な事業者との連携による社会実装の事例を増やしていくことが重要になる。前述の通り、直接的にヘルスケア産業とは関わりのなかったプレーヤーの参加や視点が不可欠だ。それこそが、「空間×ヘルスケア２０３０」実現への推進力となる。

なお、本書で紹介する４つのビジョナリー・フラッグは、まだまだ完成形ではなく、たたき台の段階だ。これらを原案とし、皆さんと議論しながら新たな知見を加え、２０３０年に向けて「空間×ヘルスケア」を創造していきたい（第７章）。多くの賛同者に加わっていただきながら、「空間×ヘルスケア２０３０」の大きなうねりをつくることを考えている（第８章）。私たちが目指すのは、これらのビジョンを社会実装することに他ならない。

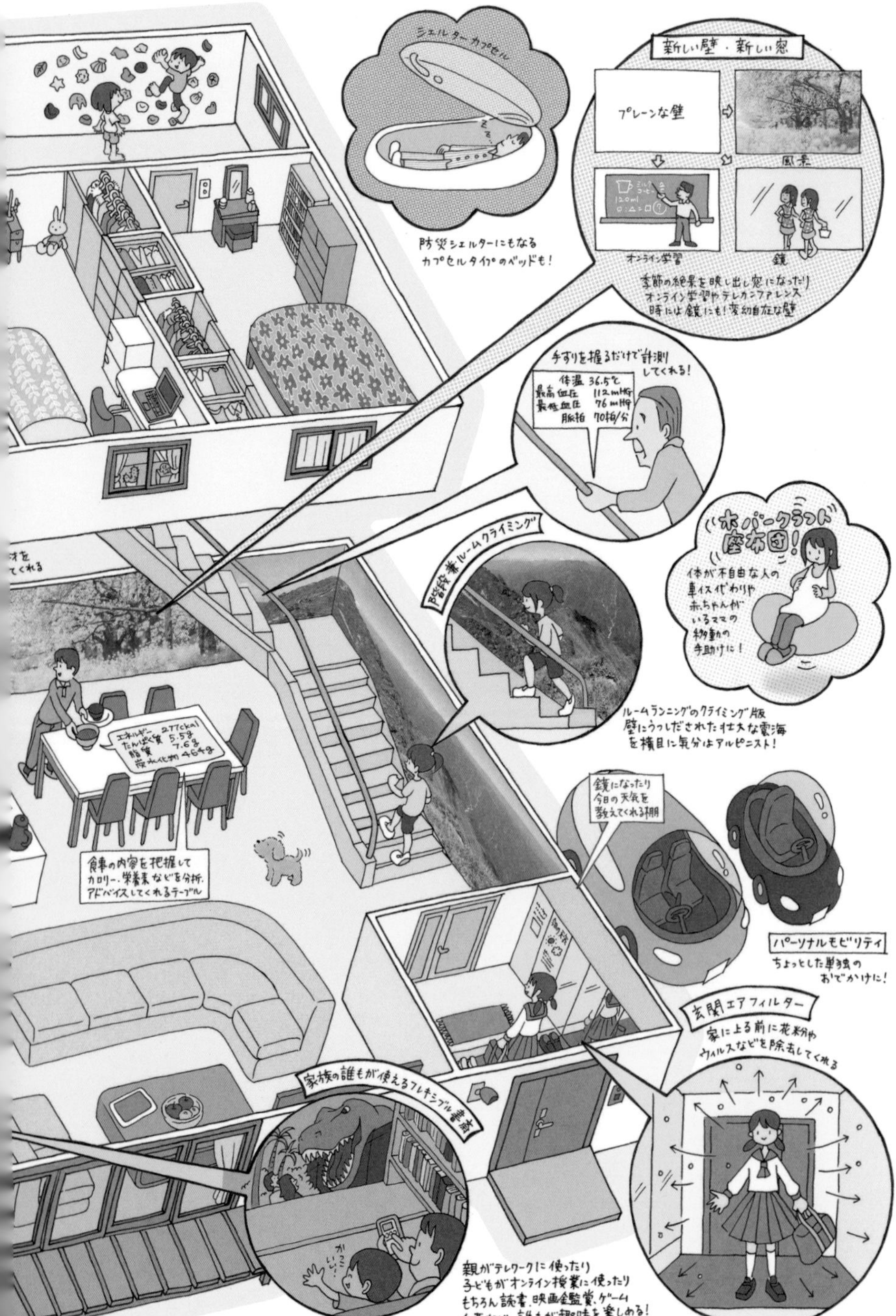
シェルターカプセル
防災シェルターにもなる
カプセルタイプのベッドも!
新しい壁・新しい窓
プレーンな壁
風景
オンライン学習
鏡
季節の絶景を映し出し窓になったり
オンライン学習やテレカンファレンス
時には鏡にも!変幻自在な壁
手すりを握るだけで計測してくれる!
体温 36.5℃
最高血圧 112mHG
最低血圧 76mHG
脈拍 70拍/分
ホバークラフト座布団!
体が不自由な人の
車イス代わりや
赤ちゃんがいるママの
移動の手助けに!
階段兼ルームクライミング
ルームランニングのクライミング版
壁にうつしだされた壮大な雲海
を横目に気分はアルピニスト!
エネルギー 277kcal
たんぱく質 5.5g
脂質 7.6g
炭水化物 46.4g
食事の内容を把握して
カロリー、栄養素などを分析、
アドバイスしてくれるテーブル
鏡になったり
今日の天気を
教えてくれる棚
パーソナルモビリティ
ちょっとした単独の
おでかけに!
玄関エアフィルター
家に上る前に花粉や
ウィルスなどを除去してくれる
家族の誰もが使えるフレキシブル書斎
カッコいい!
親がテレワークに使ったり
子どもがオンライン授業に使ったり
もちろん読書、映画鑑賞、ゲーム
手芸など、誰もが趣味を楽しめる!

Beyond Home

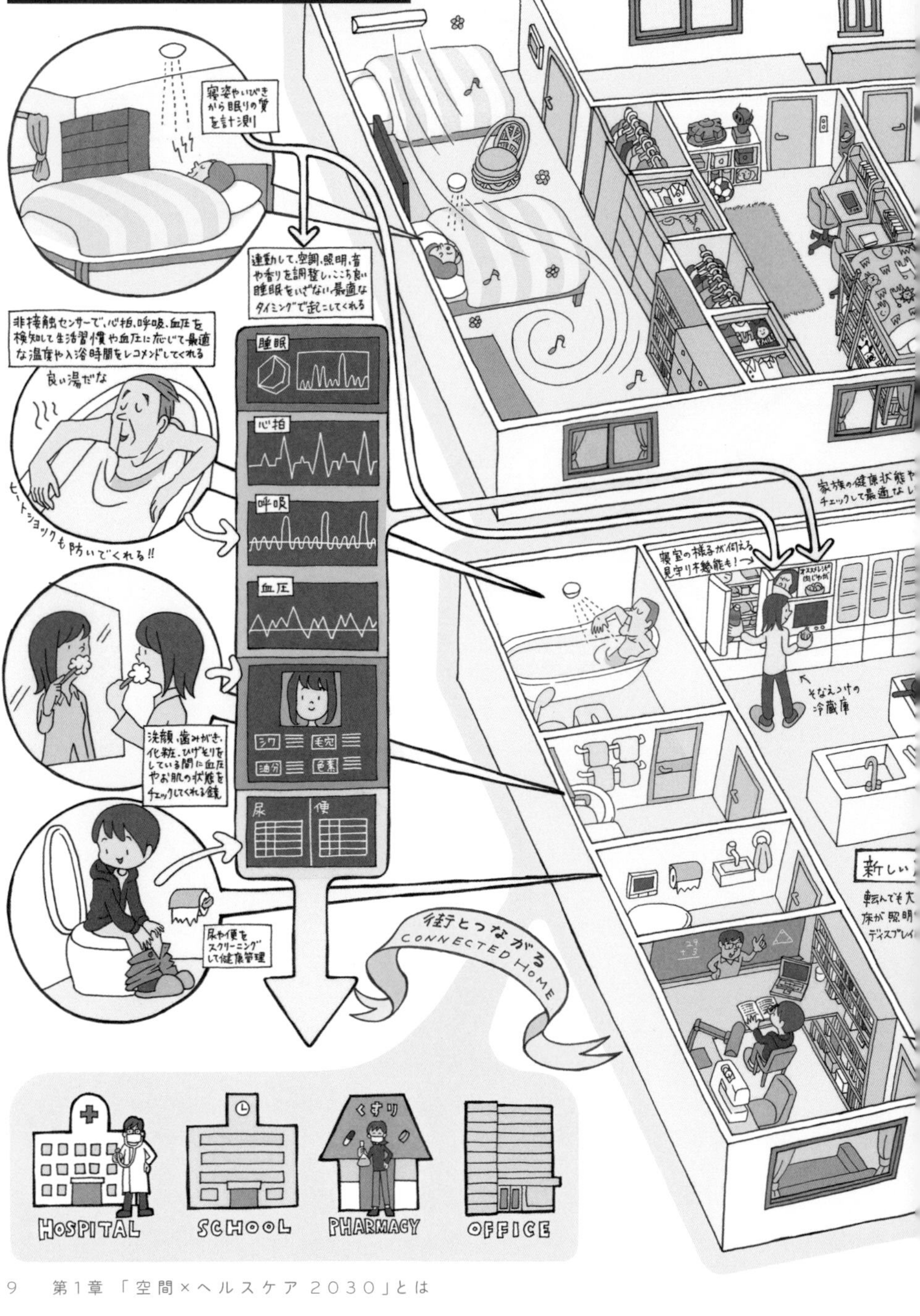
寝姿やいびきから眠りの質を計測
連動して、空調、照明、音や香りを調整し、ここち良い睡眠をいざない最適なタイミングで起こしてくれる
非接触センサーで、心拍、呼吸、血圧を検知して生活習慣や血圧に応じて最適な温度や入浴時間をレコメンドしてくれる
良い湯だな
ヒートショックも防いでくれる!!
睡眠
心拍
呼吸
血圧
シワ
毛穴
油分
色素
洗顔、歯みがき、化粧、ひげそりをしている間に血圧やお肌の状態をチェックしてくれる鏡
尿
便
尿や便をスクリーニングして健康管理
街とつながる
CONNECTED HOME
寝室の様子が伺える見守り機能も!
オススメレシピ 肉じゃが
そなえつけの冷蔵庫
家族の健康状態や
チェックして最適な
新しい
転んでも大
床が照明
ディスプレイ
くすり
HOSPITAL
SCHOOL
PHARMACY
OFFICE

イラストレーション：©kucci,2020

ビジョナリー・フラッグ・プロジェクト　空間×ヘルスケア 2030

Beyond Workplace

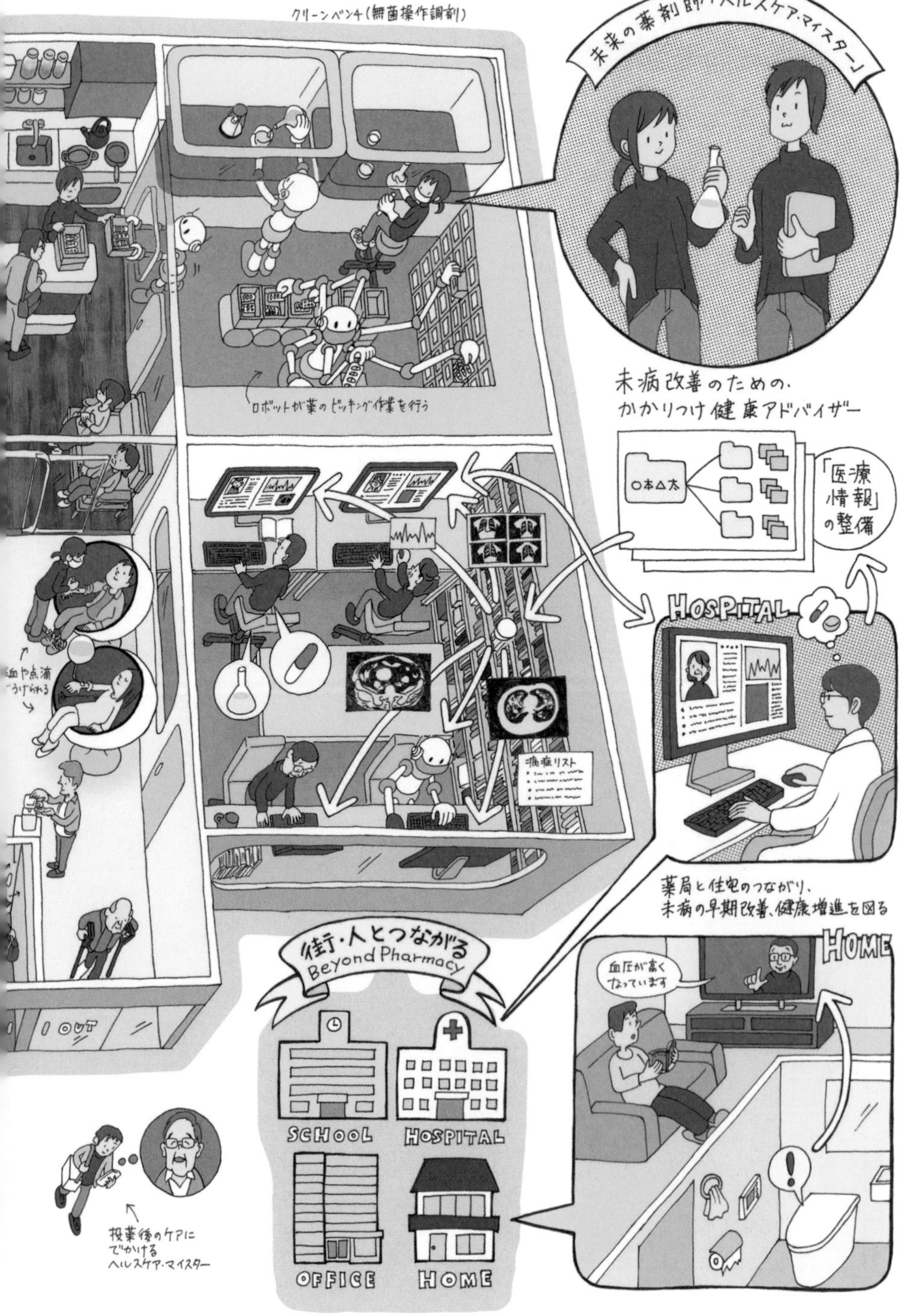
クリーンベンチ（無菌操作調剤）
未来の薬剤師「ヘルスケア・マイスター」
ロボットが薬のピッキング作業を行う
未病改善のための、
かかりつけ健康アドバイザー
〇本△太
「医療情報」の整備
HOSPITAL
病症リスト
薬局と住宅のつながり、
未病の早期改善、健康増進を図る
HOME
血圧が高く
なっています
OUT
街・人とつながる
Beyond Pharmacy
SCHOOL
HOSPITAL
OFFICE
HOME
投薬後のケアに
でかける
ヘルスケア・マイスター

ビジョナリー・フラッグ・プロジェクト 空間×ヘルスケア 2030

Beyond Pharmacy

パーソナルカフェ
パーソナルエリアではヘルスケアマイスターが詳しいデータを示しながら体調管理のアドバイスをしてくれる
スクリーニング&ヒーリング
プロジェクションマッピングにより部屋全体に星空や南国のビーチなど好みの映像を映し出せる。音楽やアロマの香りでヒーリングをうけながら脳波などのバイタルデータを分析
最新機器による簡易スクリーニング
マルシェ
サーモグラフィゲート
体温 36.0℃
心拍 78
血圧 高 114
低 70
通り抜けるだけで体温、心拍、血圧などを測定してくれる
花粉やウィルスも除去してくれる
地域の健康食品やナチュラル系化粧品洗剤、アロマグッズ、ハーブティーなどを売っているマルシェ

イラストレーション：©kucci,2021

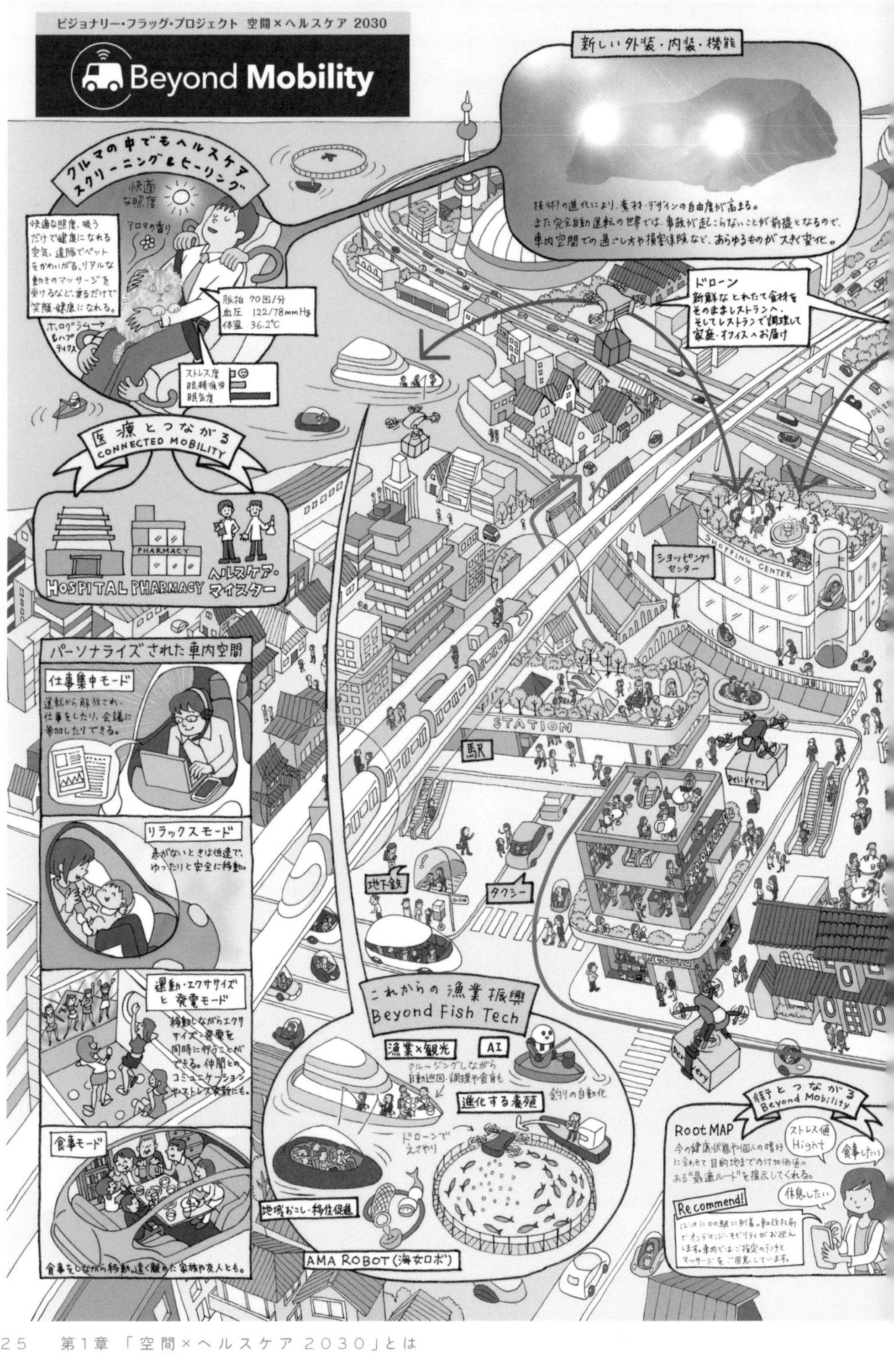
ビジョナリー・フラッグ・プロジェクト 空間×ヘルスケア 2030
Beyond Mobility
クルマの中でもヘルスケア スクリーニング&ヒーリング
快適な照度
アロマの香り
快適な照度、吸うだけで健康になれる空気、遠隔でペットをかわいがる、リアルな動きのマッサージを受けるなど、乗るだけで笑顔・健康になれる。
ホログラム&ハプティクス
脈拍 70回/分
血圧 122/78mmHg
体温 36.2℃
ストレス度
眼精疲労
眠気度
医療とつながる CONNECTED MOBILITY
PHARMACY
HOSPITAL
PHARMACY
ヘルスケア・マイスター
パーソナライズされた車内空間
仕事集中モード
運転から解放され、仕事をしたり、会議に参加したりできる。
リラックスモード
急がないときは低速で、ゆったりと安全に移動。
運動・エクササイズと発電モード
移動しながらエクササイズ・発電を同時に行うことができる。仲間とのコミュニケーションやストレス発散にも。
食事モード
食事をしながら移動。遠く離れた家族や友人とも。
新しい外装・内装・機能
技術の進化により、素材・デザインの自由度が高まる。
また完全自動運転の世界では、事故が起こらないことが前提となるので、
車内空間での過ごし方や損害保険など、あらゆるものが大きく変化。
ドローン
新鮮なとれたて食材をそのままレストランへ、そしてレストランで調理して家庭・オフィスへお届け
ショッピングセンター
SHOPPING CENTER
STATION
駅
Delivery
地下鉄
タクシー
これからの漁業振興 Beyond Fish Tech
漁業×観光
AI
クルージングしながら自動巡回・調理や食育も
釣りの自動化
進化する養殖
ドローンでえさやり
地域おこし・移住促進
AMA ROBOT(海女ロボ)
街とつながる Beyond Mobility
Root MAP
今の健康状態や個人の嗜好に合わせて目的地までの付加価値のある"最適ルート"を提示してくれる。
ストレス値 Hight
食事したい
休息したい
Recommend!
12:10に○○駅に到着。東改札前でオンデマンド・モビリティがお迎えします。車内ではご指定のランチとマッサージをご用意しています。

18～25ページの
4つのビジョナリー・フラッグ（未来の旗）のイラストは、
以下のサイトから詳しく見ていただくことができます。

https://project.nikkeibp.co.jp/event/vfp/healthcare/index.html

第2章

未来の住宅はこうなる
～Beyond Home～

「空間×ヘルスケア 2030」の1つとして
日経BP 総合研究所／Beyond Healthが描いている
未来の住宅「Beyond Home」。その未来像の解説（VISION）に加え、
未来を読み解く座談会（DISCUSSION）・事例（TOPIC）・
キーワード（KEYWORD）を紹介していく。

VISION

これが未来の住宅の全貌、3つの要素で〝健康〟をつくり出す空間に

左ページに示したのが未来の住宅「Beyond Home」だ。ここには大きく3つの要素がある。❶生体データや行動データ、環境データなどあらゆるデータを測定・蓄積する、❷データを活用して健康に導く働きかけをする、❸命を守ったり健康を増進させたりする仕掛けを施す、である。これにより、住宅は単に寝食する空間ではなく、意識的または無意識的に健康をつくり出せる空間になる。もちろん、対象は高齢者や病気を抱える人だけではなく、健康な人も意識した住宅である。その中身を❶〜❸の順番にひもといていこう。

トイレでカラダの変化の予兆を把握

まずは❶の生体データや行動データ、環境データなどあらゆるデータを測定・蓄積する、という要素。これについては、**住宅のあちらこちらに様々なセンサーが設置され、生活している**

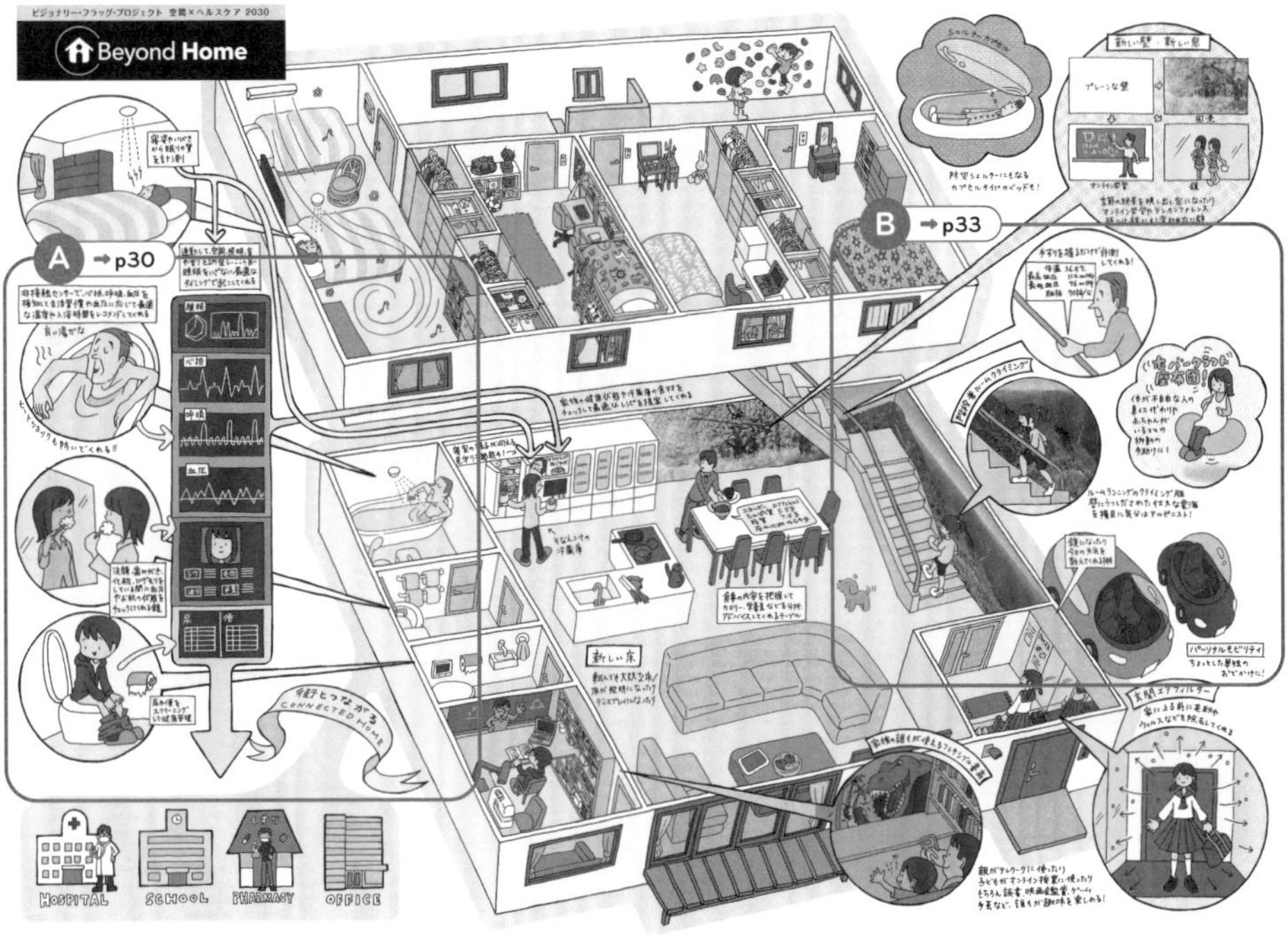

イラストレーション：©kucci,2020

だけで、あらゆるデータをさりげなく取得できる未来図を描いた（次ページのイラストA）。

例えば、浴室では天井に設置したバイタルセンサーを使って、入浴中の生体データを非接触で測定する。実際、浴室で発生する事故として、急激な室温差によって血圧が大きく変動し、失神や心筋梗塞、脳梗塞などを起こすヒートショックが問題になっている。特に高齢者は、冬場に温かい居室から寒い浴室へ移動した際にヒートショックを引き起こし、死亡につながるケースも少なくない。浴室で血圧などの生体データを常にモニタリングできるようになれば、こうした事故を防げる可能性がある。

トイレでは、尿や便などの排せつ物から様々なデータを取得する。最近では、排せ

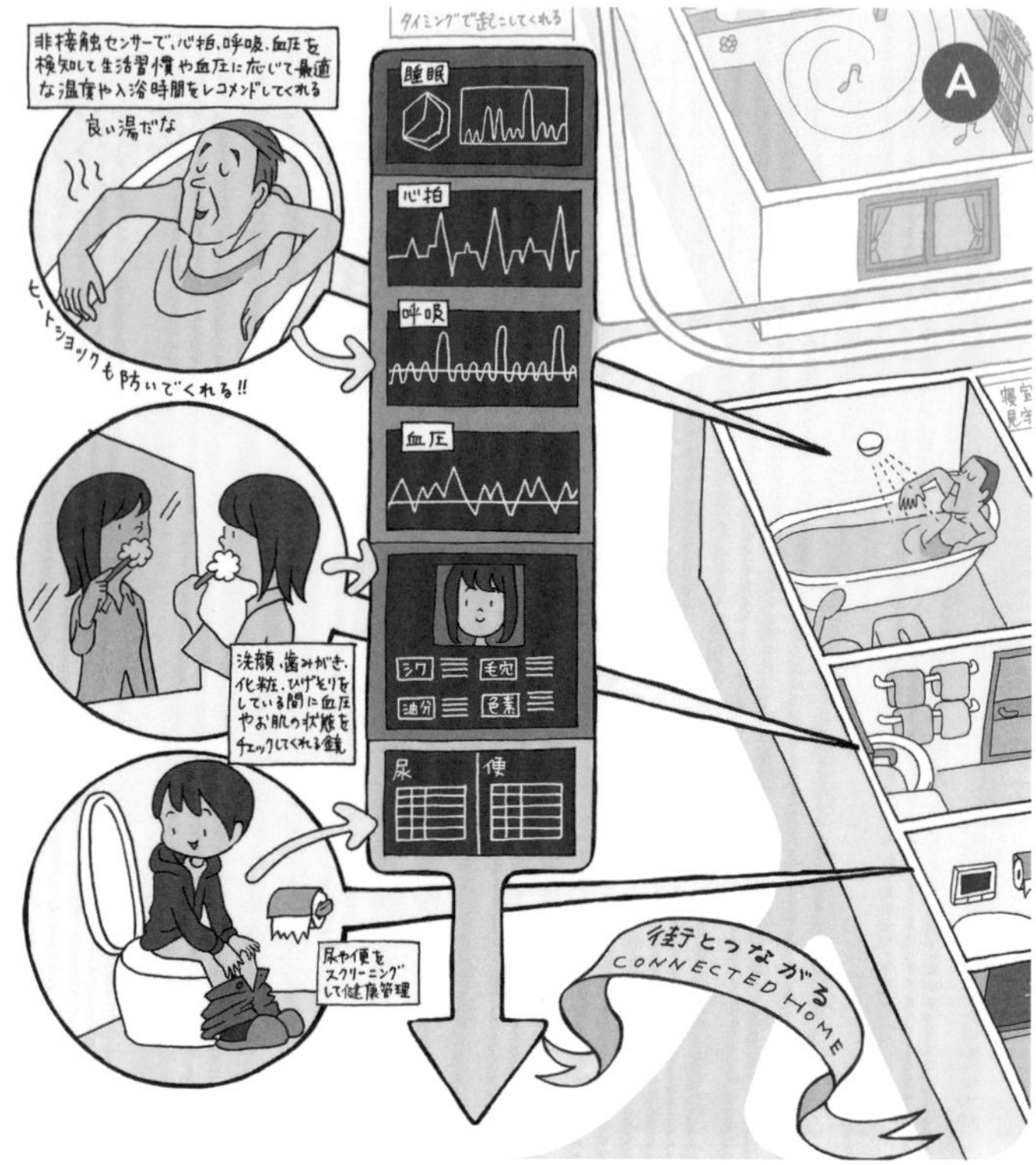

つ物を検体とするヘルスケアサービスが続々と登場している。スタートアップ企業のユカシカド（東京都渋谷区）による尿を使った栄養検査サービス「VitaNote《ビタノート》」、同じくスタートアップ企業のウンログ（東京都渋谷区）が手掛けるうんち記録アプリ「ウンログ」などはその一例だ。

さらに、尿中に含まれる物質を様々な方法を用いて分析することで、がんの早期発見を目指す技術の開発もあちらこちらで進んでいる（166ページ）。こうしたスクリーニングの技術とトイレの連携が図られれば、日常生活で無意識のうちに体の変化の予兆を把握できるようになるだろう。

このほか、住宅内の様々な場所にある鏡は、肌の状態や自律神経の不調、ストレス度合いなどを把握するセンサーになり得る。寝室でもさりげなく呼吸や睡眠状態のデータを取得するようになる。

データ共有で社会とつながる

次に❷のデータを活用して健康に導く働きかけをする、という要素だ。これについては例えば、個人ごとにカスタマイズした快適な睡眠への導入が挙げられる。取得した生体データや行動データを基に、一人ひとりが最も快適に眠れる寝室環境をつくり出す。具体的には、温度や照明、音、香りなど、五感を刺激する要素を使った睡眠環境を提供する。

台所や食堂では、データを使った食事管理が実現する。冷蔵庫にはモニターが内蔵されていて、家族の健康状態や保存している食材を加味した最適なレシピが表示される。これにより、適切な食事管理を促せる。データを参照して肥満気味になっていることが分かれば、「炭水化物を減らしましょう」といったアドバイスも表示される。

体重や栄養状態といった生体データだけでなく、睡眠などの行動データも参照する。上質な睡眠が取れていないことが分かれば、それを改善するためのレシピを提示する。料理を机に並べると、含まれている栄養成分やカロリーが卓上に表示され、食事の内容を詳細に把握することもできる。

データの活用は住宅の中だけにとどまらない。家の中で取得したデータは、地域の薬局や会社、学校と共有する。社会全体でビッグデータとして活用すれば、新型コロナウイルス感染症のような感染症が流行した際にも、感染経路を追うなどして社会システムの保全につながるかもしれない。

これまでは電話線やインターネット回線を引くことで、家と社会をつないでいた。しかし今後は、データを共有することが社会とのつながりになるだろう。

家の中でストレスなく移動できる乗り物も

最後に❸の命を守ったり健康を増進させたりする仕掛けを施す、という要素について。その1つとして、**家の中で自然にエクササイズができる、運動を促す仕掛けが挙げられる（イラストB）**。例えば、階段にルームランニングマシンの応用版を用いて、体に適度な負荷をかけ、健康を保てるように導く。階段の手すりにセンサーを搭載しておけば、平時の生体データの測定だけでなく、負荷状態での生体データをモニタリングする用途にも活用できる。

精神面の健康を保つために、壁や窓が進化してもよい。有機ELやプロジェクションマッ

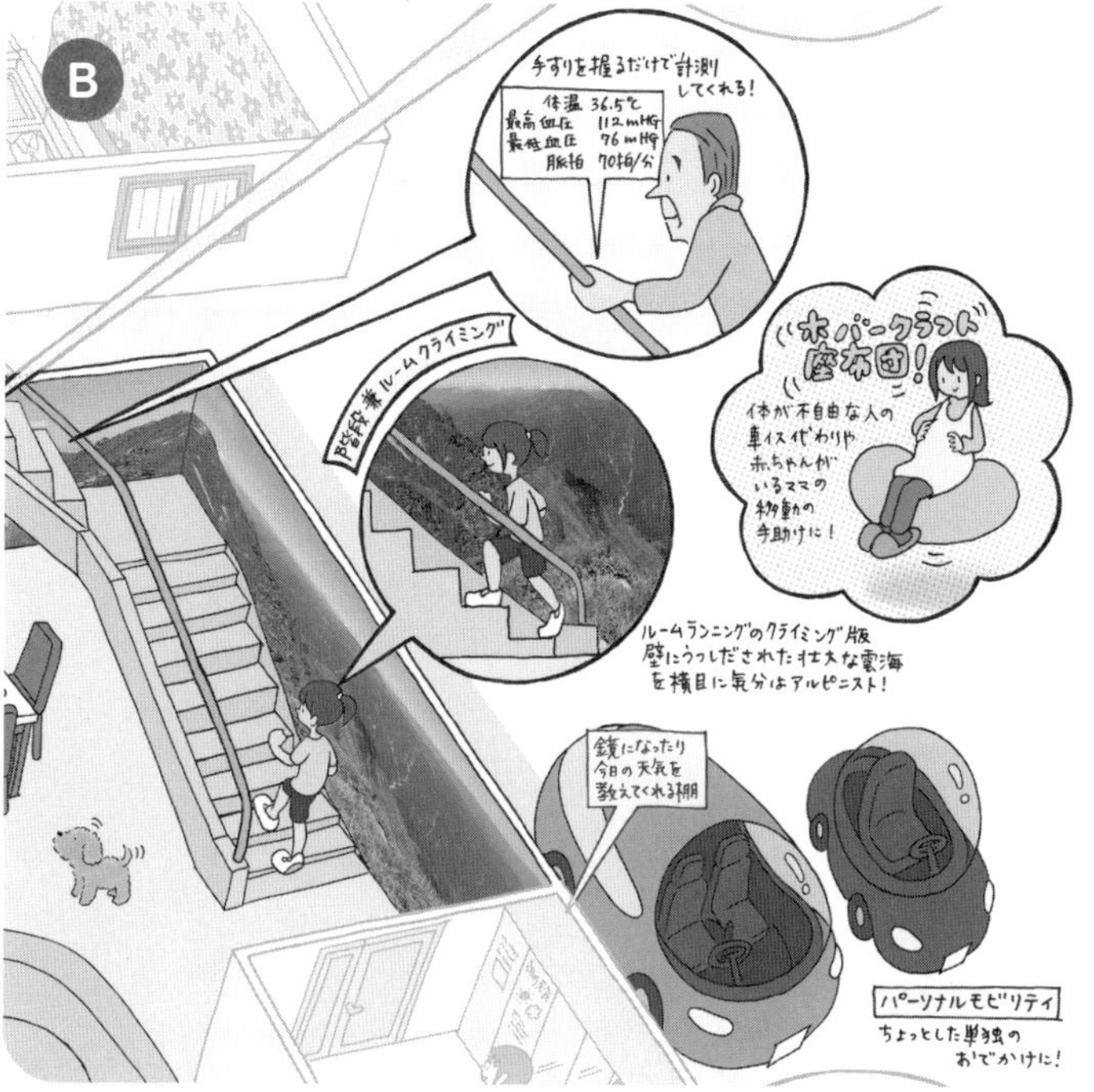

ピングの技術を駆使して、四季折々の景色を壁や窓に映し出し、ヒーリング効果を狙う。そのほかオンライン授業やテレワークにも活用するなど、シーンに応じての使い分けを想定する。

照明は天井に設置しなくなるかもしれない。人は蛍光灯の光を上から照らすよりも、間接照明による明かりの方が好ましく感じるとされているため、有機ELなどを使って床や壁、備品を光らせるようになる可能性もある。

高齢者の転倒を防ぐため、床にも工夫を施す。普段は屈曲せず滑らかで歩きやすい床だが、転倒してしまった際にけがをさせないようサポートしてくれるような素材を用いるのが望ましい。

歩くのが難しい人に対しては、家の中でストレスなく移動できるよう、室内用モビリティを活用する。例えば、〝ホバークラフト（空気を高圧で噴出し浮揚して進む乗り物）座布団〟などが想像できる。

DISCUSSION

座談会

未来の住宅とヘルスケア、その道筋と課題

この30年で変わったこと、これから10年ですべきこと

Beyond Healthは2020年10月、「日経クロスヘルスEXPO 2020」において特別セッション「これが未来の住宅『Beyond Home』の全貌」を実施した。Beyond Homeを題材に、住宅という空間を軸に起きるヘルスケアイノベーションや異業種連携について議論した。

セッションの前半では、各パネリストがそれぞれの取り組みなどについて紹介。後半のクロストークでは、「Beyond Home」に対する議論や、その実現へのハードルに対する議論、異業種連携/オープンイノベーションの必要性に対する議論などを展開した。

無関係の人たちがつながる「団地OS《オーエス》」、これが連携の命

東洋大学の坂村健氏は、同氏がかねて手掛けてきた「2030年のIoT住宅」について語った。同氏は、日本を代表するコンピューター科学者の1人。1980年代に「TRON《トロン》プ

（写真：剣持 悠大）

［パネリスト］（肩書はセッション実施時のもの）
東洋大学 INIAD（情報連携学部）学部長 **坂村 健氏**
国土交通省 住宅局住宅生産課建築環境企画室長 **村上慶裕氏**
日経BP 総合研究所 戦略企画部長 **高橋博樹**
［モデレーター］
日経BP 総合研究所 上席研究員、Beyond Health編集長 **小谷卓也**

ロジェクト」をリードし、コンピューターが日常生活に溶け込むSFのような世界観を提唱。いわゆるユビキタスコンピューティングの先駆者である。

現在は、東京都北区赤羽台にある東洋大学INIAD《イニアド》（情報連携学部の略称）で学部長を務める。INIADはキャンパス全体がIoT化され、まさにTRONプロジェクトを再現したものとなっている。並行して「INIAD cHUB」の名称で外部の企業・団体・組織と連携を加速するコンソーシアムをけん引。ここではキャンパスに隣接する赤羽台団地の登録有形文化財「赤羽台スターハウス住棟」において、都市再生機構（UR《ユーアール》）などとともに「Open Smart UR」を手掛けた。

「Open Smart UR」では、昭和30年代に建てられたスターハウスをIoTとAIによってスマートハウス化した。44平米の部屋に44個のセンサーが付いている。まさにBeyond Homeの実物モデルのようなものだ。「鍵となるのはオープンプラットフォームで、HaaS《ハース》（Housing as a Service）がコンセプト。機能連携、サービス連携、データ連携の3つの連携を軸として、まったく関係のなかった人たちが1つのプラットフォーム上でつながることを最大の目的としている」（坂村氏）。

坂村氏はこのプラットフォームをわかりやすく「団地OS」と表現する。「パソコンと一緒で、住宅にOSが搭載されれば、その上でいろんなアプリケーションが動くようになる。スマート化したところで、アプリが決まったメーカーのスマホでしか使えないのでは限界がある。特定の用途のためだけに使うという考え方ではなく、あらゆることに活用できるプラットフォームを提供すること。それこそが連携の命だ」（坂村氏）。

東洋大学
坂村 健氏

国土交通省
村上慶裕氏

日経BP
高橋博樹

日経BP
小谷卓也

「新たな民間の取り組みに期待」と国交省

国土交通省の村上慶裕氏は、「国交省が考える住宅とヘルスケア」について語った。同氏は、住宅の質と健康の関係についてのエビデンスが出てきていることを報告。同省の補助事業である「スマートウェルネス住宅等推進事業」では、室内の温熱環境改善により、起床時の血圧が有意に低下したり、室温上昇により住宅内の身体活動量が有意に増加したりする結果が得られたという。

国交省では、これらのエビデンスについて分かりやすく紹介するため厚生労働省と連携してリーフレットを作成。省エネ改修などについての意識啓発を促すための情報発信を展開している。併せて村上氏は、2019年5月に改正した建築物省エネ法に伴い、今後の住宅はより機能的になると言及した。これらを踏まえ、「断熱性能と省エネ性能の強化によって、居住者の健康が高まることにつながれば」(同氏)と語った。

国交省では、2017年度から「サステナブル建築物等先導事業」を実施し、IoTを活用した次世代住宅の取り組みを支援している。これまでの採択事例には空調コントロールに生体データを活用する住宅、家電使用状況と人感センサーで高齢者を見守るマンションなどがある。

これらの事例は、本セッションテーマでもある、住宅を軸にした異業種連携の試みとも言える。村上氏は「新しい民間の取り組みにより、住生活の質の向上が図られる。2030年にはさらなる新技術が生まれることを期待したい」と述べた。

高齢者や障害者が単身でも暮らせるようなイメージを

セッション後半のトークセッションは、「Beyond Home」についての議論から始まった。「Beyond Homeについての率直な感想は?」との質問だ。

東洋大学の坂村氏は、あえて厳しくコメントすると前置きし「あまり整理されておらず、いろんなものを寄せ集めた感じに見える」と斬り込んだ。その上で次のように指摘した。「まずは住宅の質を高めること。それからIoTやコンピューターを実装していくのが筋だと思う。このイラストからは、それぞれの機器がどのように連携するのかが見えてこない。家電メーカーに顕著な傾向だが、一つひとつを単独で開発してしまうとつながらなくなってしまう。関係のない人たちがしっかりとつながる連携の意識が重要だと思う」。

国交省の村上氏は、現状のBeyond Homeのイラストは家族世帯を想定したものに見えるため、「高齢者や障害者の人たちが単身でも暮らせるようなイメージを見せてほしい」と指摘した。

　これを受け日経BPの高橋博樹は、「このイラストは完成形ではない。むしろ、お二人から頂いたような辛辣な意見を集めるために可視化したもの。これからも様々な意見を吸収して、より良いものにアップデートしていきたい」と応じた。

30年前、まったく受け入れられなかったアイデアが今は…

　未来の住宅とヘルスケアを考える上で、それを取り巻く環境要因はどう変化してきたのか。約30年前から「TRON電脳住宅」として未来の住宅を構想してきた坂村氏に、「この30年、何がどのように変わったか」との質問が投げかけられた。

　これに対して坂村氏は、興味深いエピソードを紹介した。30年前、尿の自動分析装置を搭載してネットワークで結ぶ「健康診断トイレ」の構想を提案したことがあるのだという。しかし、まったく受け入れられなかったという。「当時はインターネットもない時代。専用回線を敷いて医師と結ぶことを考えた。しかし、このアイデアは受けなかった。時はバブル期、どんな場所でもたばこをプカプカ吸って、酒をガバガバ飲むような時代。それが30年たった今では、人々の健康意識がぐんと高まった。こうしたアイデアはむしろ歓迎されるようになった」

（坂村氏）。

もう1つの変化は、Implementation《インプリメンテーション》（実装）技術が格段に進化したことだと坂村氏は言う。「私が作った80年代のＴＲＯＮ電脳住宅は、地下にコンピューター室があったほど。それほどコンピューターパワーが非力だった。それが今ではセンサーもマイコンも格段に進化し、クラウドが当たり前の世界になった」（同氏）。

坂村氏が指摘するように、この30年で人々の健康意識が大きく変わり、それを支えるテクノロジーが大きく進歩した。ただし、Beyond HomeやＴＲＯＮ電脳住宅のようなコンセプトを社会実装していく上での課題は幾つかある。その1つが、例えば住宅に最新技術を導入しようとした際に起きる業種間での知識のギャップだ。

つまり、住宅のプロは決してＩＴに明るいとは限らず、その逆もまた然りである。この課題をどのように解決すべきかを問われた坂村氏は、「中途採用で人材を集めるのではなく、現場を知っている人間を再教育するリカレント教育が重要」と答えた。その上で次のように語った。「昔と比べればコンピューターがどんどん優しくなってきているので不可能ではない。米国ではＩＴ産業に関係のない企業でも独自にプログラムを書ける人材を雇用している割合が50％ほどあると言われている。対して日本は10％以下。ＳＩｅｒ《エスアイヤー》（システムインテグレーター）への丸投げではなく、自社で人材を育てることを念頭に置くべきだ」（坂村氏）。

異業種の連携は業界だけではなく国を動かすこともセット

最後の論点は、異業種連携とオープンイノベーションについて。例えば国交省が２０１７年度から実施している「サステナブル建築物等先導事業」では、ＩｏＴを活用した次世代住宅の取り組みを支援している。これは、住宅を軸にした異業種連携の試みとも言える。

これについて問われた国交省の村上氏は、「例えば我々も、省エネ関連では経済産業省、健康については厚生労働省と連携している。必然があれば垣根を越えて結びつくということだ。民間事業者同士をどのようにつないでいくかは模索中だが、メディアの力は非常に大きいので、接点をつくってくれることに期待したい」と述べた。

坂村氏が現在手掛けている第3世代のＴＲＯＮ電脳住宅「Open Smart UR」プロジェクトも、様々な業種の企業が集まるオープンイノベーションの場になっている。「参画企業は約50社。医療機器メーカーや生命保険会社など、家を建てることとは直接的に関係のない企業も集まっている」と同氏は語る。同時に、社会ニーズの変化に伴い、法規制も柔軟に変えていく必要があると訴える。「異業種の連携は業界だけではなく国を動かすこともセット。それこそBeyond Healthがメディアの力で働きかけてほしい」と結んだ。

TOPIC 1

事例

住宅の断熱化で血圧が有意に低下、これが最新の知見

スマートウェルネス住宅等推進事業報告会より

この先、住宅は単に寝食する空間ではなく、意識的または無意識的に健康をつくり出せる空間へと変貌する。そのための工夫の1つが、断熱改修などによる温熱環境の改善だ。実際、断熱改修の前後で人間の健康にどんな影響を及ぼすのか。2021年1月26日に開かれた「住宅の断熱化と居住者の健康への影響に関する全国調査」の第5回報告会で、最新の知見が示された。

この全国調査は、日本サステナブル建築協会が、国土交通省補助事業「スマートウェルネス住宅等推進事業」として2014年から続けているもの。慶応義塾大学理工学部の伊香賀俊治教授を中心とした研究グループが取り組んでいる。

断熱改修を予定している住宅を対象に、改修前と後の温熱環境と居住者の健康状態の変化を記録。そのデータを基に、生活空間の温熱環境が居住者の健康に与える影響を検証する──。伊香賀教授ら研究グループは、この調査によって「住宅の断熱化と居住者の健康に関する医学的エビデンス」を確立しようとしている。

ウェビナー方式で行われた第5回報告会の様子

研究対象となる住宅の断熱改修には、スマートウェルネス住宅等推進モデル事業の補助金を活用し、「窓を断熱仕様に交換する」「壁・床・天井などに断熱材を施工する」といった方法で温熱環境の改善を図った。調査対象としたのは、改修前の住宅2318軒の住まい手4147人、改修後の1303軒の2323人、加えて改修工事を行わなかった住宅143軒の254人だ。

断熱改修前後の比較調査は2019年度までに終え、現在は長期的な追跡調査に移行している。5回目となる今回の報告会では、既に分析を終えた改修前後の比較調査の結果を発表した。以降では、今回の報告会で示された分析結果のうち、興味深い知見を抜粋して紹介していこう。

循環器疾患リスクが高いほど断熱改修による恩恵が大きく

研究グループは、断熱改修と居住者の血圧についての影響を検証した。その結果得られたのは、「断熱改修により最高血圧と最低血

■血圧の低下が確認された

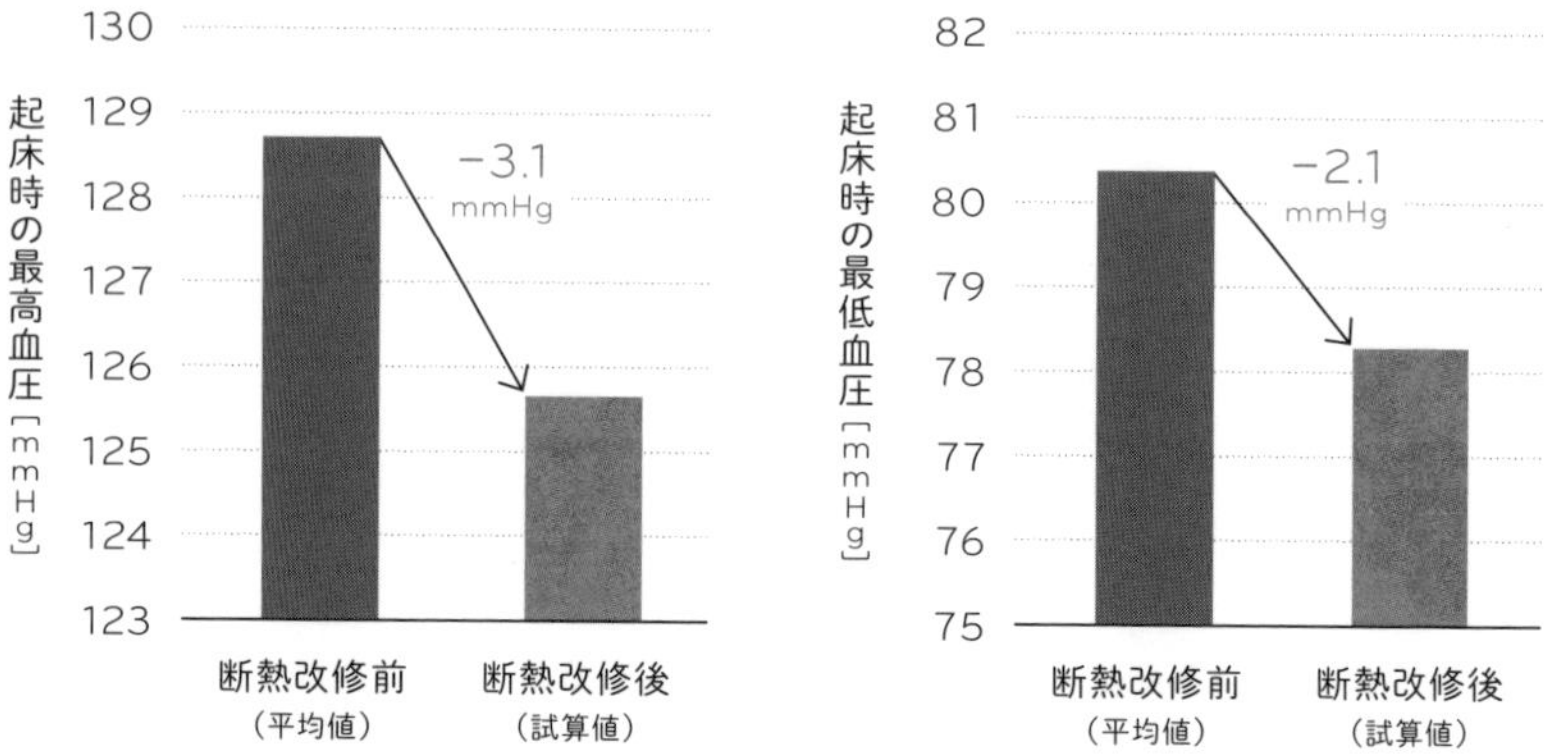

断熱改修により、朝の最高血圧・最低血圧が有意に低下
（出所：日本サステナブル建築協会「住宅の断熱化と居住者の健康への影響に関する全国調査　第5回報告会」資料）

圧は有意に低下する」という知見だ。

ベースラインの血圧や、年齢、外気温、ＢＭＩ《ビーエムアイ》（肥満度を表す体格指数）などの変化量を基に多変量解析（複数の測定値を総合的に分析する手法）を行い、断熱改修後の居住者の血圧変化を試算。断熱改修前の平均値と比較した。その結果、断熱改修後は最高血圧、最低血圧共に低下傾向を示した。

研究グループが分析した変化量は、朝の最高血圧でマイナス３・１ｍｍＨｇ、夜の最高血圧はマイナス１・８ｍｍＨｇ。朝の最低血圧はマイナス２・１ｍｍＨｇ、夜の最低血圧がマイナス１・５ｍｍＨｇと、特に朝の血圧が有意に低下している（図を参照）。

朝の血圧変化は、年齢や性別、喫煙や飲酒の有無など、居住者の属性別まで踏み込んで分析した。すると、「循環器疾患リスクが高い被験者ほど、断熱改修による恩恵が大きい」ことが分かった。

高血圧予防・降圧に対する科学的根拠の補強に期待

分析結果からは、「血圧に対する室温の影響は小さくなく、室温が安定すると血圧の季節・日間・日内変動が縮小する」といった実態が見えてくる。逆に「不安定な室温環境においては血圧変動が大きくなり、循環器疾患のリスクが高まる」と研究グループは指摘。住環境の断熱化は、循環器疾患の予防上重要であると結論づけている。

日本高血圧学会による「高血圧治療ガイドライン2019」では、高血圧予防・降圧のために修正すべき生活習慣について、幾つかの項目を挙げている。減塩や禁煙などの項目は高いエビデンスレベルを示しており重要視されている一方、防寒・暖房といった室温環境の血圧への影響は低いエビデンスレベルにとどまっている。

研究グループは、「この調査研究が今後、室温環境の安定による高血圧予防・降圧の科学的根拠を補強するものになる」と期待しているという。

TOPIC 2

インタビュー

ミサワホーム総合研究所に聞く住まいの可能性

自宅は子どもたちの運動能力を伸ばす場所になるか

新型コロナウイルス感染拡大の影響により、従来は家の外で行っていた、身体を使って遊ぶ空間を自宅に求める人も増えているという。もとより子どもが伸び伸び遊べる場所、時間、仲間が減る中、子どもたちの体力や運動能力は与えられた環境によって二極化する傾向が指摘されている。住まいによって、子どもたちの体力や運動能力は変わり得るのか。ミサワホーム総合研究所の八木邦果氏に住まいの可能性を聞いた。

——コロナ禍にあって、住まいに求められる機能は変わっているのでしょうか。

在宅勤務を経験した全国の既婚男女824人（20〜69歳、世帯年収400万円以上）を対象に2020年6月にWEBアンケート調査を行ったところ、興味深い結果が出ています。意識の変化の部分では「場所にとらわれない働き方が良いと思うようになった」が76・5%、「住む地域として、人口が密集した都心部よりも自然豊かな郊外が良いと思う」が64・6%という結果になりました。現在、市街地に住んでいる方も約6割が「自然豊かな郊外が良い」と回答し

ミサワホーム総合研究所フューチャーデザインセンター市場企画室室長代理の八木邦果氏
（写真提供：ミサワホーム総合研究所）

ていますので、今後住まい選びの基準が変わる可能性があります。

今後の住まいに求める要素については、在宅勤務のための空間として「4畳半程度の個室」「2畳程度の最小限の個室」が欲しいと回答している人が多く、それぞれ62・4%、50・4%に上りました。居住スペースが限られている現代の住まいにおいても在宅勤務のために個室を確保したいと考えている方が多かったのは、私たちも意外でした。

——自宅で運動する空間が欲しいというニーズは増えているのでしょうか。

今回の調査では項目として挙げていませんが、そういったニーズはあると思います。調査でも今後の住まいに取り入れたい気分転換できる場所として、「バルコニー・屋上などの外部スペース」が70・6%、「庭スペース」が68・8%となり、外部空間を充実させたいというニーズが高いことが分かりました。当社では以前から外部空間の提案は行っていましたがお客様の優先順位は低かったため、コロナ禍でニーズが高まっていることをあらためて実感しています。

私自身、設計職としてお客様と打ち合わせをしていた時に、「雲梯《うんてい》を天井に備えつけてほしい」という要望をうかがったことがあります。非常に活発な男の子2人がいるご家族でした。直接担当していませんが、ボルダリングウオールを付けたいという方はここ数年で増え、専用の業者も増えているという話も聞いています。

運動能力低下の背景に居住空間の変化によるハイハイ不足も

――2017年から2年にわたり、鳥居俊・早稲田大学スポーツ科学部教授の研究室と共に「子どもの活発な活動を促す空間に関する研究・調査」を行っていらっしゃいます。過ごす空間によって、子どもたちの運動能力や体力に影響はあるのでしょうか。

鳥居先生から、近年、転んだときにとっさに手が出ず、頭や顔をケガする子どもたちが増えているという情報を頂きました。学校での骨折発生率の増加や乳幼児の運動機能発達が遅れているというデータもあります。また、スポーツ庁が毎年集計している体力・運動能力調査では、平均値が低下する一方で、値の散らばり度合いを示す標準偏差は増大する傾向があり、子どもの運動能力や体力は二極化しているという指摘もあります。

背景には、空き地など子どもたちだけで伸び伸び遊ぶ場所や時間、仲間の減少、テレビやゲーム、スマートフォンを見るスクリーンタイムの増加など社会環境の変化があります。加えて、居住環境の変化による影響もあるのではないかと考えられています。

例えば床の素材が畳からフローリングになったことで、ハイハイをあまりせずに歩き始める子どもが増えているそうです。指が引っかかりやすい畳に比べ、滑りやすいフローリングはハイハイがしにくい上、狭い空間にソファなどの家具が多い環境はつかまり立ちがしやすい。

赤ちゃんは一人歩きをするまでに、首すわり、寝返り、一人座り、ハイハイ、つかまり立ち、とそれぞれの動きを活発に行うことで身体の各部位を鍛えながら成長し、次の段階に移行していきますが、ハイハイ不足によって本来なら鍛えられていた腕の筋力が弱いまま成長してしまうことが考えられます。

――ハイハイ不足は子どもの将来に影響するのでしょうか。

鳥居先生は、その後の成長段階で腕の筋力を鍛えるような動きを取り入れていけば、ハイハイ期に獲得すべき運動能力は取り戻せるという考え方を示していらっしゃいます。ですから、その後の成長過程で、手を伸ばしてつかむという動きが誘発されるような仕掛けがあればよいのではないかと考えています。

研究ではまず、鳥居先生の監修の下、成長段階に合わせて必要な空間、動き、量と質の目安となるマトリクスを作成しました。例えば、歩行が安定する1歳後半くらいまでは、運動する機会は徐々に増やす程度でよく、もう少し活発になってくる2～3歳では1日60分程度の運動をすれば十分ではないかとアドバイスいただきました。

■高齢期の健康に影響する可能性も

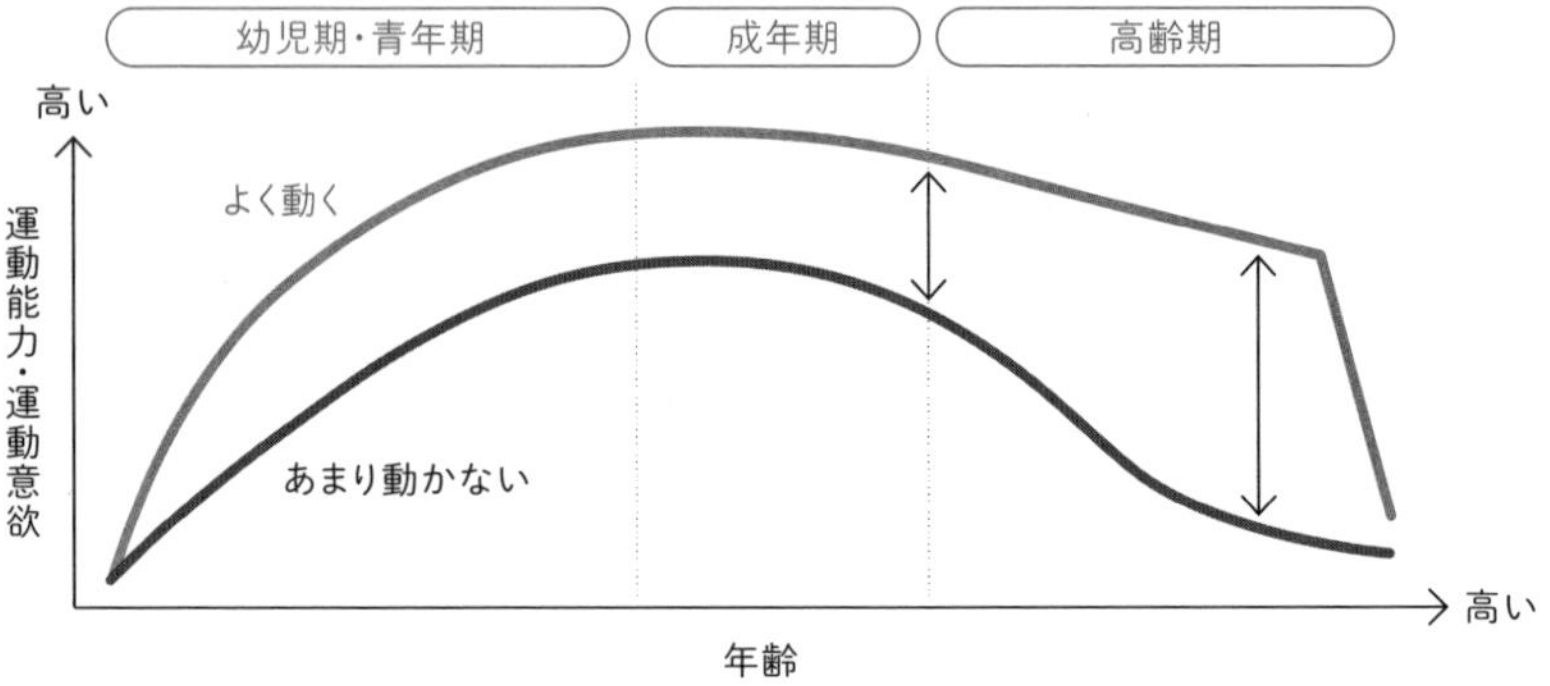

幼児期によく動いた子どもとあまり動かなかった子どもを比べると、高齢期まで運動能力や運動意欲度に大きな差が出ることが考えられるという（出所：ミサワホーム総合研究所）

幼児期に他者やボールなど道具との距離感やよけ方、転び方など身体の使い方やバランス感覚を身につけることができれば、身体を動かすことが楽しいと感じられ、児童青年期になっても運動意欲が高くなると想定されます。

逆に、幼児期にあまり動かず身体の使い方を十分に身につけられなかった子どもは、運動の楽しさを感じられないことが多くなってしまいます。このため、その差は高齢期の健康にも影響すると私たちは考えています。運動能力は必ずしも生まれながらのものではなく、幼児期に活発に運動する機会が得られ、自然と身体を動かすことが楽しいと思えるような環境の有無に影響されると考えられるのです。

自由に動ける空間をつくれば、子どもの活動量は増える

――実際にどのような環境であれば、子どもたちは活発に動

くことができるのでしょうか。

研究では保育園に協力いただき、1～2歳児のクラスで子どもたちの活動量を実証調査しました。保育業務に差し支えない程度で幾つか変化をつけて調査したところ、おもちゃのレイアウトを変更し、子どもたちが自由に動ける空間を広くつくると子どもの活動量が増えることが確認されました。

部屋の中央にブロックを置くと、どうしてもブロックの周りに多くの子が集まり、その周りでちょこちょこ遊ぶ感じでしたが、ブロックを壁際に置いてみると、その周りで遊ぶ子もいれば、空いた空間に行って自由に遊ぶ子もいるという状態に変化したのです。園児ごとに移動距離を測った数値にも、有意な差が認められました。

自宅ではなかなか子どもが自由に遊べる空間を確保するのは難しいと思いますが、例えばお子さんが小さいうちはリビングにソファセットを置かないというのも1つの手だと思います。当社ではリビングに隣接した6畳ほどの畳敷きのマルチスペースや天井の低い収納空間を提案しており、そういった空間を活用することも考えられます。

以前、「壁にお子さんのための小さな出入り口をくり抜いてほしい」というお客さまがいらっしゃいました。そういう仕掛けが幾つかあれば、自宅でも自然とくぐる動きができ、楽しく身体を動かすことにつながるかもしれません。

TOPIC 3

インタビュー

病院と宿泊施設の連携で、空間を再定義する

三井不動産が病院と連携する宿泊施設を計画したワケ

2020年6月、三井不動産は国立がん研究センター東病院（千葉県柏市）の敷地内に、国内外からのがん患者やその家族、研究者などを受け入れる宿泊施設の建設を発表した。2022年の開業を目指す。同社ではこれを「空間の再定義」と位置付け、今後は同様のモデルを日本全国へ展開する可能性があるとしている。同社 柏の葉街づくり推進部 事業グループ長の谷津邦成氏と同事業グループの川島一記氏に話を聞いた。

――まずは今回の取り組みの背景について教えてください。

谷津　以前、三井不動産では柏の葉キャンパス駅周辺にゴルフ場を所有していました。つくばエクスプレス（TX）の開業に伴いゴルフ場の閉鎖が決定したのですが、その跡地を中心として新たな街づくりに貢献していく方針を固めました。それが、柏の葉で三井不動産が開発を進めるきっかけとなっています。

柏の葉キャンパス駅は都心から25㎞圏内、秋葉原駅からTXで約30分の好立地にあります。

柏の葉キャンパス駅周辺の様子（出所：三井不動産）

従来型のデベロッパー開発であればベッドタウンがターゲットでしたが、柏の葉のユニークな点は住宅中心ではなく、複合的な要素を含めての開発だということです。

もともとこのエリアには東京大学柏キャンパス、千葉大学柏の葉キャンパス、国立がん研究センター東病院（以下、がんセンター東病院）といった貴重なアカデミア、医療施設が存在していました。これらのアセットと連携しながら開発に携わってきた歴史があります。

とはいえ、最初からがんセンター東病院と連携が取れたわけではありません。様々な情報交換を行い、徐々に関係を構築してきました。その交流の中で弊社が目指す柏の葉での街づくりの将来性をお話ししたところ、がんセンター東病院とのビジョンが一致して共同の取り組みに至ったのです。

日本ではこうしたモデルがないが、海外では結構盛ん

——具体的にはどのようなビジョンでしょうか。

谷津　がんセンター東病院では住民に開かれた病院を未来像として描かれていました。そこで“新しい医療の在り方”を外部に発信していきたいとの思いがあったようです。ご存じのように、がんセンター東病院はがんの治療に特化している国内トップクラスの病院。陽子線治療や希少がんを扱っているため、海外を含めて遠方から来る患者が非常に多いのですが、長距離の通院が患者の大きな負担になっており、長年の課題となっていたようです。

もしホテルが隣接していれば、課題の解決策を提供できることになります。入院前後は患者本人だけではなく、家族や知人にとっても距離が近いほど助かりますから。自宅からの通院以

今回の宿泊施設の建設計画（出所：三井不動産）

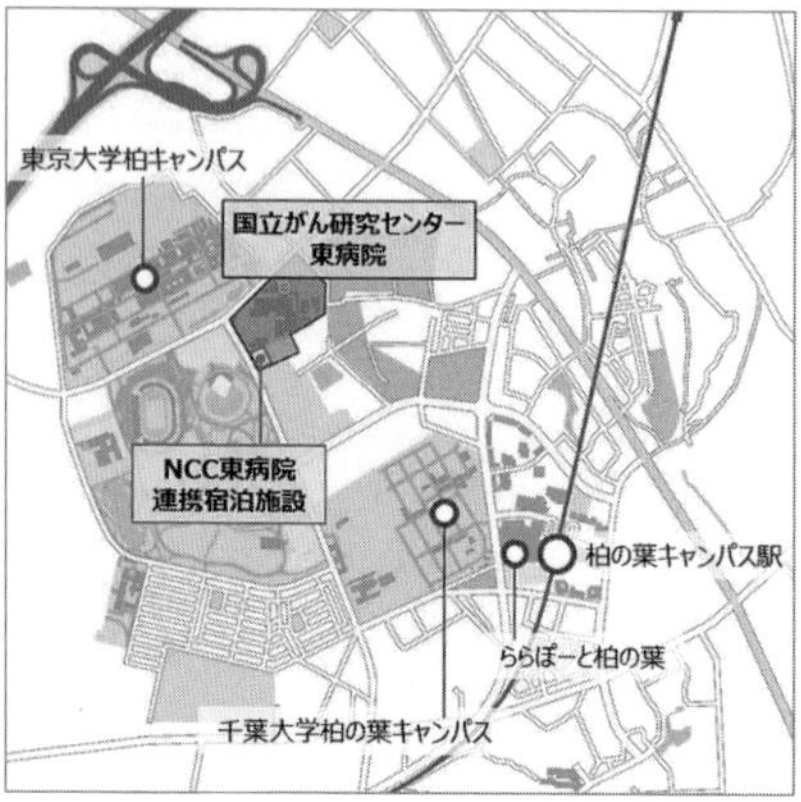

外のソリューションを示すことで、皆さんの負担を少しでも軽減できるのではとの思いが出発点です。

日本ではこうしたモデルがありませんが、海外では結構盛んです。例えば米国のテキサス大学MDアンダーソンがんセンターにはホテルが隣接しています。参考のため試泊してみたところ、宿泊者の多くは患者やその家族で、米国ではこのモデルが成立していることを肌で実感しました。

――がんセンター東病院周辺のホテルの現況は？

谷津　最も近くて柏の葉キャンパス駅前になります。三井ガーデンホテル柏の葉をはじめ、駅周辺には数軒のホテルがありますが、がんセンター東病院まではバスもしくはタクシーで7～8分かかるため、少し不便な状況です。隣接のホテルなら、そのストレスもなくなります。

患者アンケートでホテルが隣接していたら利用したいかどうかを聞いたところ、多くの人が「使いたい」と回答しました。中には「駅前のホテルより高くても泊まりたい」という人も一定の割合でいました。この結果は、隣接すること自体が1つの価値であることを示しています。病院に近ければ近いほど患者は安心感を得られます。物理的な距離の近さが与える安心感は大きいのです。ただし、ホテルで医療行為をするわけではありません。いろんな法的規制があるので、逆にセットで組み込むことは難しい。敷地内にあるものの、通常はホテルとして運営します。

川島　今回の特徴は、がんセンター東病院の土地を貸借して事業を行うこと。医療行為はできませんが、きめ細やかな連携やサービスは視野に入れています。入院前後の患者がホテルに宿泊し、具合が悪くなったときに病院と円滑な医療連携を図りたいと考えています。また、患者と家族が一緒に過ごせる広めの客室や、中長期滞在者のためのキッチンを備えた客室も用意する予定です。オープンが2022年夏を予定しているので、どんなシステムを入れていくのかはこれからがんセンター東病院と共に検証していきたいと思います。

「新たな病院と街のモデル」をつくる

——技術面では5GやIoTの活用を想定されているようですね。

川島　まだまだ検討段階ですが、センシングデバイスや5Gを活用して宿泊者の健康状態をスムーズに把握できるような実証も想定しています。それから、日本でも今後加速する遠隔診療の実証実験などですね。どんな技術が治療や研究に役立つのか、がんセンター東病院と共に新たなモデルの開拓に取り組んでいければと思います。

——より大きな視点で「新たな病院と街のモデル」を掲げています。

谷津　現段階では遠隔チェックインと、街が提供するサービスをミックスすることを想定しています。病院は診察までの長い待ち時間がつきもので、数時間待つこともザラにあります。しかし、ただ待合室で待っているだけでは非常に時間がもったいない。ですからTXで柏の葉キャンパス駅に着いた時点で遠隔から病院の受付を済ませ、診察時間の目安が分かれば患者にとってこれほどありがたいことはない。診察まで1時間の余裕があるとすれば、例えば駅前のららぽーと柏の葉でその1時間を過ごせます。ららぽーとからは、お店の紹介がスマートフォンなどに案内されて時間を有効に使うことができる――そんな仕組みです。

その先には、街の人流、混雑状態の把握を組み合わせることが必要になってきます。なぜなら最終的には交通サービスと連携したいからです。タクシーやバスなどの運行状況を組み合わせ、駅に着いてからの一連の過ごし方を提案するイメージです。こうした網羅的なサービスがあれば、遠隔チェックインから商業施設での過ごし方、どういう交通手段を使ってがんセンター東病院に行けばいいかがひと目で分かります。それにより患者の利便性が高まって満足度が向上し、街への愛着も湧くのではないでしょうか。

――病院を軸にした街づくりは、まさにこれからの時代のニーズに即した空間の再定義と言えるかもしれません。

谷津　おっしゃる通り、空間の再定義と考えています。

Beyond Home
KEY WORD

スマートウェルネス住宅

エビデンスが蓄積しつつある住環境と健康の深い関連性

スマートウェルネス住宅とは、国土交通省によると「高齢者、障害者、子育て世帯等の多様な世帯が安心して健康に暮らすことができる住環境」のこと。実際、住環境の改善は、健康の維持・改善に役立つ――。そんなエビデンスが検証・蓄積されつつある。

日本サステナブル建築協会が、国土交通省補助事業「スマートウェルネス住宅等推進事業」として2014年から続けている調査では、住宅の断熱改修の前後で人間の健康にどんな影響を及ぼすのかを検証している。2021年1月に開かれた報告会では、「断熱改修により最高血圧と最低血圧は有意に低下する」という知見が示された。さらに、年齢や性別、喫煙や飲酒の有無など、居住者の属性別まで踏み込んで分析したところ、「循環器疾患リスクが高い被験者ほど、断熱改修による恩恵が大きい」ことが分かった（42ページ）。

個別の住宅だけではなく、地域やコミュニティーにおける交流など、広い意味での「住環境」と健康との関係にも注目が高まる。特に高齢者については、例えば日本老年学的評価研究機構（JAGES《ジェイジズ》）などの調査・研究により、住民の助け合い意識や、趣味やスポーツなどの組織への参加など、ソーシャルキャピタル（社会関係資本）が豊かなほど、健康水準も上がるという関係が明らかになりつつある。

このように、住環境と健康向上との関係について数多くの様々なデータが集まることで、行政の住宅政策や福祉政策に影響を与え始めている。住宅業界においては、健康についてのエビデンスに基づく住宅市場の拡大を目指す動きが活発になっていきそうだ。

ＷＥＬＬ《ウェル》認証

建築物を健康面から評価、研究成果を社会実装へ

ＷＥＬＬ《ウェル》認証とは、人々が健康で快適に働くための条件に着目して、オフィス空間の環境性能を認証する評価システム。「WELL Building Standard」として２０１４年に米国のＤＥＬＯＳ社が考案した。独立性を高めるため、公益企業ＩＷＢＩ（International WELL Building Institute）が運営し、第三者評価機関としてＧＢＣＩ（Green Building Certification Inc.）がその認証を行っている。日本国内でも認証を受ける建築物が増えている。

制度を考案したＤＥＬＯＳ社は、２００９年に建築物や室内空間、街区と健康との関係に着目して、米国において住宅やオフィス、ホテルなどの空間の健康面でのコンサルティング事業

を開始した新興企業。建築物の認証制度としては環境性能を評価する米国の「LEED」、英国の「BREEAM」、日本の「CASBEE」といった制度も既にあったが、それらと比べて、人の身体的、精神的、社会的に良好な状態（ウェルビーイング）に焦点を当てて新たな認証制度として打ち出してきたのが特徴となっている。

WELL認証はバージョンアップが行われており、2018年からはWELL認証第2版の認証制度が運用されている。建築や室内空間などが健康とウェルネスを促す条件を満たすかどうかについての観点が拡大されて、空気や水、光、室温、音のほか、食事の環境や自然へのアクセスなどの11の分野にわたって110の項目を評価する仕組みになっている。

評価項目が、建築物の物理的な性能にとらわれずに設定されているのはウェルビーイングに焦点を当てているからこその特徴だ。例えば、食事を取れる環境という分野では、単に食事を取るのに適した環境があるというだけではなく、食事が販売されている場合には果物や野菜を選択できるのか、健康的な食品を選べるかなど、健康の問題にも踏み込んでいる。

0次予防

社会・経済・文化的対応で人々が無意識のうちに健康に

0次予防とは、病気を引き起こす原因やリスクファクターを個々人が自覚して取り除く1次予防と並行して、発症やリスクファクターにつながる社会的、経済的、文化的な環境要因に着目し、それらを改善することで集団における病気の発生自体を大きく減らそうという考え方。1次予防よりもさらに前段階に当たることから「0（ゼロ）次」と呼ばれる。

0次予防は、もともと循環器疾患の予防についての研究から生まれた発想だ。米ミネソタ大学のヘンリー・ブラックバーン氏が1970年代に、動物性脂肪の多い食習慣が一般的ではない中国や日本において、喫煙や高血圧のようなリスク要因が存在している場合にも心血管疾患が起こりづらいと報告。病気の予防にとっては、こうした個人のリスクファクターばかりではなく、社会的、文化的な要因も重要であるとの考え方を示した。

0次予防においては、地域や社会に暮らす人の意識的な個人の努力を不要にするのがポイントになる。無意識のうちに健康に望ましい行動を取れたり、健康につながる環境に身を置いたりする社会的、経済的、文化的な環境づくりを進めるものだからだ。社会環境を改善するという0次予防の考え方は、この概念と親和性のある建築や街づくりの領域で特に注目されている。建物の造り方の中に健康の観点を取り入れ、その空間で過ごす人を健康にしていこうという考え方だ。関連する動きとして、2014年に米国では人々が健康で快適に働くための条件に着目し、空間の環境性能を認証する評価システム「WELL認証」という仕組みが始まった。

スーパーシティ構想

2030年頃に実現され得る「まるごと未来都市」をつくる

スーパーシティ構想とは、AIやビッグデータを活用し、社会の在り方を根本から変える都市設計のこと。旗振り役は政府で、大胆な規制改革などによって「まるごと未来都市をつくる」ことを目指している。今後の住宅の在り方にも大きく関わってくる。

2020年5月27日に〝スーパーシティ法〟と呼ばれる「国家戦略特別区域法の一部を改正する法律」が成立、同年6月3日に公布された。2021年4月に締め切った政府によるスーパーシティの公募では、対象区域としての指定を目指す31団体（複数団体による応募は1団体とカウント）からの応募があり、全国で5カ所程度の区域を指定する方針だという。

スーパーシティの基本的なコンセプトとしては、次の3点が挙げられている。

❶これまでの自動走行や再生可能エネルギーなど、個別分野限定の実証実験的な取り組みではなく、例えば決済の完全キャッシュレス化、行政手続きのワンスオンリー化、遠隔教育や遠隔医療、自動走行の域内フル活用など、幅広く生活全般をカバーする取り組みであること

❷一時的な実証実験ではなくて、2030年頃に実現され得る「ありたき未来」の生活の先行

実現に向けて、暮らしと社会に実装する取り組みであること
❸さらに、供給者や技術者目線ではなくて、住民の目線でより良い暮らしの実現を図るものであること

これらの実現に向けた核となるのが、データ連携だ。自治体などがデータ連携基盤を整備し、民間企業がそのデータを活用して個別のサービスを提供するイメージである。スーパーシティでは、複数のサービスのデータ連携を条件としているため、こうしたデータ連携基盤の有無がスーパーシティであるかどうかの1つの目安・区分になるという。

デジタルツイン
仮想空間に再現した〝双子〟で健康状態のシミュレーションも

デジタルツインとは、現実空間（フィジカル空間）を仮想空間（サイバー空間）に再現すること。現実空間にある多様なデータをセンサーネットワークなどで収集して仮想空間に送り、現実空間と同じ状態・状況を再現する。文字通り、「デジタルの双子」。「サイバーフィジカルシステム」という言葉も、広義では同じ概念を示すとされている。

製造業の分野でよく使われる概念である。例えば、現実空間の機械や設備にセンサーを設置

し、その状況を仮想空間上で再現する。仮想空間において、機械・設備をシミュレーションしたり、分析・監視したりすることで、現実空間の予防保全などにつなげる狙いだ。

AIやIoT、5Gといったテクノロジーの後押しを背景に、ヘルスケア分野でも、こうした概念が用いられるようになってきた。現実空間における人の様々なデータを基に、仮想空間上に〝双子〟の人間を再現。シミュレーションや分析をすることで、健康状態の変化を予測したり、予防医療につなげたりできる可能性がある。

東京大学グリーンICTプロジェクトとNTTコミュニケーションズは、スマートシティの実現に向けた建物空間の「デジタルツイン」実証実験を2021年3月に開始した。建築物にかかわるBIM（Building Information Modeling；建物のライフサイクルにおいてそのデータを3Dモデルベースで構築管理する手法）データや、センサーなどのIoT情報、位置情報などを提供する各種のデータプラットフォームを活用して、デジタルツインを生成するアプリケーションなどの構築における技術課題やプロセスを検討する。

第3章

未来のオフィス・未来のワークプレイスはこうなる

～Beyond Workplace～

「空間×ヘルスケア 2030」の1つとして
日経BP 総合研究所／Beyond Healthが描いている
未来のオフィス・未来のワークプレイス「Beyond Workplace」。
その未来像の解説（VISION）に加え、
未来を読み解く座談会（DISCUSSION）・事例（TOPIC）・
キーワード（KEYWORD）を紹介していく。

VISION

オフィスにとどまらない〝ワークプレイス〟で従業員の健康と幸福を創り出せ

コロナ禍を境に、働く場を巡る環境が急ピッチで変わっている。健康で幸福な人生100年時代を可能にする社会において、「2030年に実現しているべき働く空間」とはどのようなものなのか？　その将来像がBeyond Workplace（未来のワークプレイス）で、**左ページのイラストはそのワンプレイスであるオフィスの未来予想図だ。**Beyond Healthでは、ワークプレイスの多様化を踏まえ、今後より広範で時代に即した内容へとブラッシュアップしていく。

未病改善とイノベーションの創発の両立

実は「空間×ヘルスケア 2030」の始動時、Beyond Healthが着目し、旗を掲げたのは、Beyond Office（未来のオフィス）であった。オフィスの旗を掲げた理由は、かつてそこが、私たちにとって1日のうちの多くの時間を過ごす場所だったからである。多くの人が週に5日オ

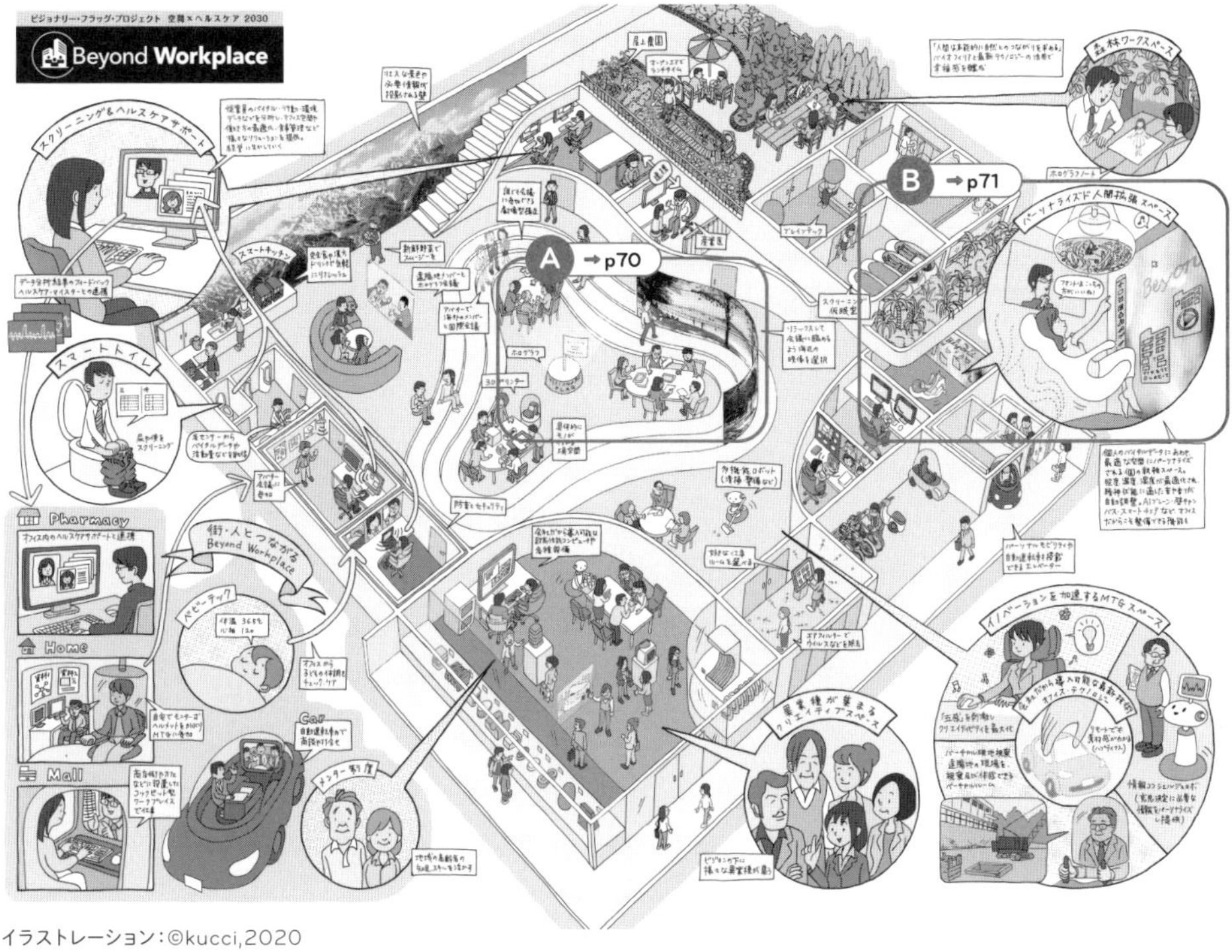

イラストレーション：©kucci,2020

フィスに通い、1日8時間余りを過ごしていたため、人の健康状態を定点観測できる場所という意味で、未病の改善を図る絶好のハブになると考えたのだ。さらに、対面で集まれるというオフィスならではの利点に着目し、コミュニケーションを活性化させることでイノベーションの創発を狙えるとみていた。

　しかし、新型コロナウイルスの感染拡大により、人の密集を防ぐために、多くの企業が出勤しなくても仕事をできる体制を整え始めた。今では、多くの人がオフィスに通勤することなく、自宅や集合住宅内の共用スペース、コワーキングスペース、近所のカフェなど、働く空間を自由に選んで仕事をするようになった。もはやオフィスは〝働くために行かなくてはいけない場所〟ではない。だからこそ、Beyond Workplaceだ。

では、オフィスにとどまらないワークプレイスという空間で、従業員の健康と幸福を創り出し、イノベーションの創出や生産性の向上を図るには、どのような仕掛けや仕組みが必要になるのか。Beyond Workplaceには、従業員のほとんどが1日の大半の時間を同じ場所で過ごす前提がないため、未病改善のハブという役割に加え、イノベーションの創発や生産性の向上も重要になる。

こうした変化の対応でまず考えなくてはいけないのが、これまでの仕事や評価の仕方の見直しである。働き方が変われば、空間の在り方に加えて、人事や処遇などの制度も見直す必要があるだろう。

そんな中、多くの企業が課題視しているのが社員教育である。特に新入社員の教育では職場で実務を行いながら教育をする「ＯＪＴ(On the Job Training)」が一般的だったが、従業員がそれぞれ遠隔で仕事をしている状況ではこれまでのように実施することは難しい。

解決のカギとなるのは、恐らくコミュニケーションだ。シニアを含めた多様な人材を活用し、オフィスというリアルな場所とネットワークの双方を活用しながら、必ずしもオフィスに行かなくても人を育てられる仕組みを整えることが不可欠である。Beyond Workplaceにおいてはコミュニケーションが大きなテーマになりそうだ。テクノロジーを活用しながら、あらゆるものや人とのつながりを創り出すことが重要になる。

オフィスだからこそ活用できる設備の活用

ここで忘れたくないのは、この未来像の根底にあるのが「健康で幸福な人生100年時代」ということである。「幸福」には様々な捉え方があるが、Beyond Healthでは、社会参加ができ、孤独にならずに多くの人とコミュニケーションが取れる状態を1つの幸福と考えている。

健康といえる状態でなかったり、何らかの事情で通勤することが難しかったりしても、新しいコミュニケーション手法によって幸福な状態を創り出していきたい。例えば、自分の分身であるアバターをコミュニケーションツールとして活用することも1つのソリューションとして導入できそうだ。これまでリアルな場でのコミュニケーションに参加することが難しかった人にも門戸を広げることができれば、新たなイノベーション創出につながる可能性もある。

さらに、対面でのコミュニケーションが希薄になる場合、企業に対するエンゲージメント（帰属意識）を高めるシカケも必要になる。**Beyond Workplaceのイラストでは、企業の理念やビジョンがホログラムで現れるシカケを施した（次ページのイラストA）。**従業員が自由に意見を書き込めるようにすれば、ビジョンを基にした議論を行うことも可能だ。同じ場所に集まる時

間が減少するからこそ、きちんと言葉にすることを重視すべきだと考えている。

このほか、企業の沿革や顧客からの意見や言葉をリアルなオフィスやネットワーク上の目に付く場所に掲示するのも手だろう。自分が企業に所属して社会的役割を果たしていると思えるシカケがあれば、働くモチベーションや生産性の向上につながると期待できる。

Beyond Healthでは、リアルなオフィスという空間をなくすべきだとは考えていない。ここにきてリアルなオフィス空間ならではの重要性も見えてきたからだ。

その1つが、オフィスだからこそ導入できる設備や利用できるサービスがあるということである。**例えば、イラストBの「パーソナライズド人間拡張スペース」では、個人が最も集中したり創造性を最大化したりするために、音楽や空調、香りを調整して最適化さ**

B
温泉
パーソナライズド人間拡張スペース
フォントはこっちの方がいいね！
Beyond
個人のバイタルデータにあわせ、最適な空間にパーソナライズされる個の執務スペース。照度、温度、湿度が最適化され、精神状態に適した音や香りが自動調整。AIブレーン・壁キャンバス・スマートチェアなど、オフィスだからこそ整備できる機能も

れた空間を創り出す。こうした技術の導入は、個人の自宅レベルでは難しいだろう。オフィスだからこそできる装備だ。

このほか、オフィスであれば、フードテックを活用した社員食堂を設置したり、近隣の飲食店を巻き込んでヘルシーな食事をしたりすることで健康管理をするシカケを用意することも可能だ。

また、未病改善に寄与する機器についても、個人宅に導入するのは高額で難しい場合にも、オフィスであれば導入しやすい。例えば、排せつ物のセンシングを行う「スマートトイレ」や、呼気で健康状態をスクリーニングする機器などだ。こういった機器がオフィスに導入されていれば、従業員がリアルオフィスに行く価値も高まる。

Beyond Healthは、企業の拠点であるオフィスと、個人が選択できるワークプレイスの双方を活用しながら、新しい時代の〝仕事をする空間〟であるBeyond Workplaceを描いていく。

DISCUSSION

座談会

未来のオフィスに必要なデジタルとリアルの融合

セミナー「未来の働き方、働く空間を考える～2030年の働く場所はこう変わる！」から

未来のワークプレイスにおいて重要なものは何か――。2021年3月8日に行われたセミナー「未来の働き方、働く空間を考える～2030年の働く場所はこう変わる！『Beyond Workplace』」では、働き方改革に最前線で取り組む5人のビジネスパーソンが未来のワークプレイスに必要な新しい価値を議論した。

ディスカッションの論点を整理するうえで、ヤフーの岸本雅樹氏はこれからの働き方改革における課題の1つとして「ウェルビーイング※」を挙げた。また松岡利昌氏は「都市のオフィス化」（オフィスの分散）と「大型オフィスビルの都市化」（ライフの要素を取り込むオフィス）が進行している現実を踏まえ、今後、オフィスとテレワークが併存しながら最大限の価値を生み出すモデルの構築が重要になると指摘した。

――コロナ禍で加速したテレワーク。見えてきた課題は何でしょうか。

ベネット　私どもが実施したアンケートでは、在宅勤務による生産性がオフィス勤務より低い

※ウェルビーイング：個人が幸福な状態にあること。身体的な側面だけではなく、精神的、社会的にも満たされている状態

［パネリスト］（社名アルファベット順、日経BP除く）
レノボ・ジャパン代表取締役社長 兼
NECパーソナルコンピュータ代表取締役執行役員社長　**デビット・ベネット氏**
NECネッツエスアイ代表取締役執行役員社長　**牛島祐之氏**
日本オフィス学会 会長　**松岡利昌氏**
新生銀行 常務執行役員・人事担当　**林 貴子氏**
ヤフー コーポレートグループ ピープル・デベロップメント統括本部
ビジネスパートナーPD本部 PD3部長　**岸本雅樹氏**
日経BP 総合研究所 戦略企画部長　**高橋博樹**
［モデレーター］
日経BP 総合研究所 社会インフラ ラボ所長　**徳永太郎**

と感じている人が、日本は他の国に比べて圧倒的に多くなっています。テレワークがうまく機能するには3つの要素が重要です。1つ目は「ツール」。リモート会議システムなど、業務遂行に効果的なツールを用意する必要があります。2つ目は「ルール」。テレワークの良さは、働く時間と自分の時間を自ら管理できるフレキシビリティがあるところですが、昔のトップダウンスタイルのマイクロマネジメントを適用してしまう会社があります。例えば1時間ごとに「いま何をしているか」を上司に報告させる。これではうまくいきません。3つ目は「カルチャー」です。インフラを用意してテレワークに対応できる体制が整っても、役員クラスの人が毎日、会社に出かけてしまうと結局、社員はテレワークできなくなってしまいます。

牛島　インフラ環境とルールが両方そろっていないといけません。会社によっては、セキュリティ面からPCを外に持ち出せないルールを持つところもあります。また、自宅に十分なインフラ環境が整ってない人もいます。さらに日本では、インフラ環境が整っていても、家庭環境・住宅環境が仕事に向いていないケースもあるでしょう。例えば都心では、狭いワンルームで正座しながら仕事している人もいる。これでは一日中快適には働けない。このような状況の改善も考えなければいけないと思います。

林　当社でテレワークを導入するときに、「パソコンにカメラを付けよう」とか「働きぶりをログを使って逐一チェックしよう」という話が出ました。日本では、すべての局面で何を考えて何をしてい

レノボ・ジャパン
デビット・ベネット氏

NECネッツエスアイ
牛島祐之氏

ヤフー
岸本雅樹氏

るかを全員で共有することをよしとする文化があります。高度経済成長時代に、1つの方向に集団をコントロールしていくことで高い生産性を誇るという成功体験になったからでしょう。一方で、それによって責任の所在が曖昧になり、一人ひとりが果たす役割に対する評価も極めてグレーになっています。ベネットさんがおっしゃったテレワークの3つの要因のうち、「ツール」については、お金で解決できるでしょう。ただ「ルール」と「カルチャー」については、管理から自律へという意識改革を、社員と会社の両方が取り組まないと、解決は難しいと思います。

岸本　ベネットさんが紹介した調査結果は、マネジメントスタイルが影響していると思います。今までは、とりあえず出社すれば仕事環境が用意されていて、上司から指示が来た。それが急に自由なテレワーク環境に放り出され、「あれ、何すればいいのだろう」と生産性が下がってしまったのでしょう。社員の自律をいかに促すかが、企業にとって大きな課題になっていると思います。

——「ウェルビーイング」の実現も今後の課題に挙がっています。

日本オフィス学会
松岡利昌氏

新生銀行
林 貴子氏

林　私はウェルビーイングを社員に提供すること自体が目的ではないと思っています。個人がウェルビーイングの状況にあっても、必ずしもそのパフォーマンスが企業にとって好ましい結果につながるとは限りません。組織と個人の双方がウィン・ウィンの関係になるために、どのようなウェルビーイングを社員に提供できるのかという観点が必要なのではないでしょうか。

ベネット　おっしゃる通りです。社員が自分の好きな場所で働けることも有効な方法です。今までは都心で高い家賃を払ってオフィスを構え、そこに集まっていました。それを自分の実家や、住んでみたい地方などで働けるようにすれば、社員にとってはウィンですし、会社にとっても賃料コストの削減というウィンを手にできます。海外では「コストオブリビングアジャストメント」制度によって、住んでいる場所で給料を変えている企業もあります。

牛島　「社員のウェルビーイング」と「会社の成長」は、基本的には同時並行であるべきですが、あえて優先順位をつければ、やはり事業の成功が先になければいけないと思います。ただ、いま課題となっているのはこの2つを実現するために、どういう環境がふさわしいのかが十分に定義できていないことです。例えば本社オフィスが必要だと言っても、将来にわたって本社オフィスに集まる必要があるのかは分かりません。現状の課題を何とか乗り越えて、いかに会社と社員のウィン・ウィンの関係を築いていくかを模索している時期だと思います。

岸本　ウェルビーイングは個人が精神的・身体的に充足されている状態ですが、それが何なのかは人によって様々でしょう。会社にできるのは、いろいろな選択肢を提供すること。それをどう選んで自らのウェルビーイングを高めていくかは、社員側の判断に委ねられると思います。

――そもそもリアルなコミュニケーションはどのような意味を持つのでしょう。

松岡　リアルコミュニケーションは非常に大事です。例えば、ウェブ会議では雑談する機会があまりない。リアルに出会うことで、人の経験値やノウハウを暗黙知として共有しやすくなります。ウェブによるコミュニケーションが増えるほど、反対にリアルの価値というのは上がっていくと思います。テクノロジーに頼っていても、本質的には人間力が求められます。人間的な魅力を研さんすることが、ニューノーマルに求められる新しいチャレンジだと思います。

ベネット　オフィスを考える上で大切なのは「なくす」ことではなく、「どう変えていくか」。イノベーションの加速には、いろいろな人と接するコラボレーションが重要なので、会社としてそういう場所をつくらなければなりません。

牛島　顔を見合わせて話す効果は、現在のＩＴでは代替できないと思います。一方で、オンラインのコミュニケーションにも、リアルにはないメリットがあります。ウェルビーイングの実現のほか、非常に重要なのが「ダイバーシティ＆インクルージョン※」です。オンラインは時間と場所を選びません。いつでも世界中とつながることができ、動画の活用等によって非同期のコミュニケーションでも温度感を共有することもできます。働き方の選択肢が広がって、多

※ダイバーシティ&インクルージョン：多様性と包括。多様性を持った人材が異なる背景を生かしながら融合し、活躍できる状況

様なバックグラウンドを持った人と共創することでイノベーションが生まれやすくなります。

林　私もオフィスがなくなることはないと思っています。オフィスに来れば何かができるといった直接的なものではなく、形にできない価値を期待して集まる人もいる。そうした人を引きつけられる魅力がオフィスに求められます。働き方を支援する技術が登場していますが、それらが個人レベルで活用されるようになった将来、人々がオフィスに集まる主な要因は、どこかエモーショナルな、精神的なつながりである気がしています。

岸本　本当にその通りだと思いますね。「この会社好きだな」とか、「あの人に会える」とか、人間の感性の部分に訴える場所であることが、最終的なオフィスの価値になっていくのではないかと私も感じました。

松岡　先に、「大型オフィスビルの都市化」が進行して「これからはセンターオフィスで仕事やライフを楽しめる」ようになると話しましたが、ライフとは、まさにエモーショナルと同じ意味を持っています。家で家族と過ごすのと同じような心の安らぎを会社でも感じられたら、それは素晴らしいことですよね。実はイギリスとアメリカで、実験的にそういうビルがつくられています。

ベネット　レノボの本社に初めて行ったとき、オフィスの真ん中に、すごく高いボルダリングのジムがありました。社員が休憩時間に登ったりするのですが、それを見ながら会社は楽しいところだなと感じるようになりました。
高橋　ジムは社員のヘルスケアという意味でも有効ですよね。さらにヘルスケア分野でのテクノロジーは、大変な進化を遂げています。例えば、様々な病気のスクリーニングができるトイレなど、個人ではまだ手が届かない設備をオフィスに取り入れる。そうやって社員という大切な経営資源を守ることは、会社の幸せにもつながっていきます。もちろん、体調面だけでなく、「楽しさ」などのメンタルの部分、感性の部分もテクノロジーを導入した空間でケアしていくことも可能になってきています。社員の健康は個人の問題であると同時に、企業、そして社会の問題でもあります。3者が「ウィン・ウィン・ウィン」になる関係をワークプレイスで築くことができれば、一番素敵なことです。
ベネット　リモートで難しいのが、「セレンディピティ※」です。自分が所属するチームと関係ない人に出会ってインスピレーションを受けることは、リモートではなかなかできません。信頼関係をつくるという点でもフェース・ツー・フェースが大切です。
高橋　企業にとって不可欠なイノベーションを起こし続けるためにも、未来のワークプレイスにおいては、テクノロジーなどのデジタルな部分とエモーショナルなアナログな部分の融合が不可欠ということですね。

※セレンディピティ：偶発的な出会い、出来事、経験などのこと

TOPIC 1

インタビュー

働く床のポートフォリオ

仕事がなくても行きたくなるオフィスをつくろう

「社員がオフィスに集まって働くのは当たり前」――こうした神話がぐらぐらと揺れている。主に健康経営にあったヘルスアケア部門の関心は今、オフィスが担うべき将来の役割に向けて移動中だ。元コクヨ「ワークスタイル研究所」所長で、自身の個人事業で企業のコンサルティングを行っている若原強氏（現ヤマハ発動機ブランドマーケティング部部長）に、オフィスの未来を聞いた。

――コロナ禍による在宅勤務の普及で、余ったオフィススペースを解約する企業が増える等、オフィスの縮小傾向が進んでいます。こうした傾向は今後も続くと見ていますか？

コロナ禍により私たちの働き方は大きく変化し、その最たる例がリモートワークの拡大です。その結果、「オフィスに集まらなくても、仕事は成り立つ」という意識の変化が生まれました。「社員全員が出社する必要がないなら、オフィスはもっと小さくてよい」。固定費を抑えたい経営者がこう思うのは当然で、当面の間、オフィスの縮小傾向は続くのだと思います。

とはいえ、縮小がずっと続くかというと話は別です。オフィスは「要・不要」で語るのではなく、どのくらいの比率で出社し、どのようなワークプレイスを組み合わせるのが適切であるかを考えるべきで、企業は「働く床《ゆか》のポートフォリオ」を探るフェーズに移行しつつあります。

投資の運用法に倣って働く床（場）を見直し

――働く床のポートフォリオ？

資産運用において、株式や債券など性質の異なる資産を組み合わせて利益の最大化を図る運用をポートフォリオ運用と呼びます。これを働く場に適用したのが、「働く床のポートフォリオ」です。働く床の対象は、主に❶オフィス、❷社員の自宅、❸シェアオフィス、❹カフェなどのパブリックスペースで、❺バーチャルオフィスや❻ワーケーションなどの拡大も考えられます。

働く床を組み合わせるメリットの1つ目はコストの削減。働く場所をオフィスから社員の自宅へと移すことで、コストを大幅に減らすことができます。2つ目は移動効率。例えば毎日本社オフィスに通う社員の自宅と本社の中間に、シェアオフィスを構えたとしましょう。仕事に適した環境を保ちな

元コクヨ「ワークスタイル研究所」所長で、働く場の動向に詳しい若原強氏（写真：川田 雅宏）

■働く床（場）のポートフォリオ（イメージ）

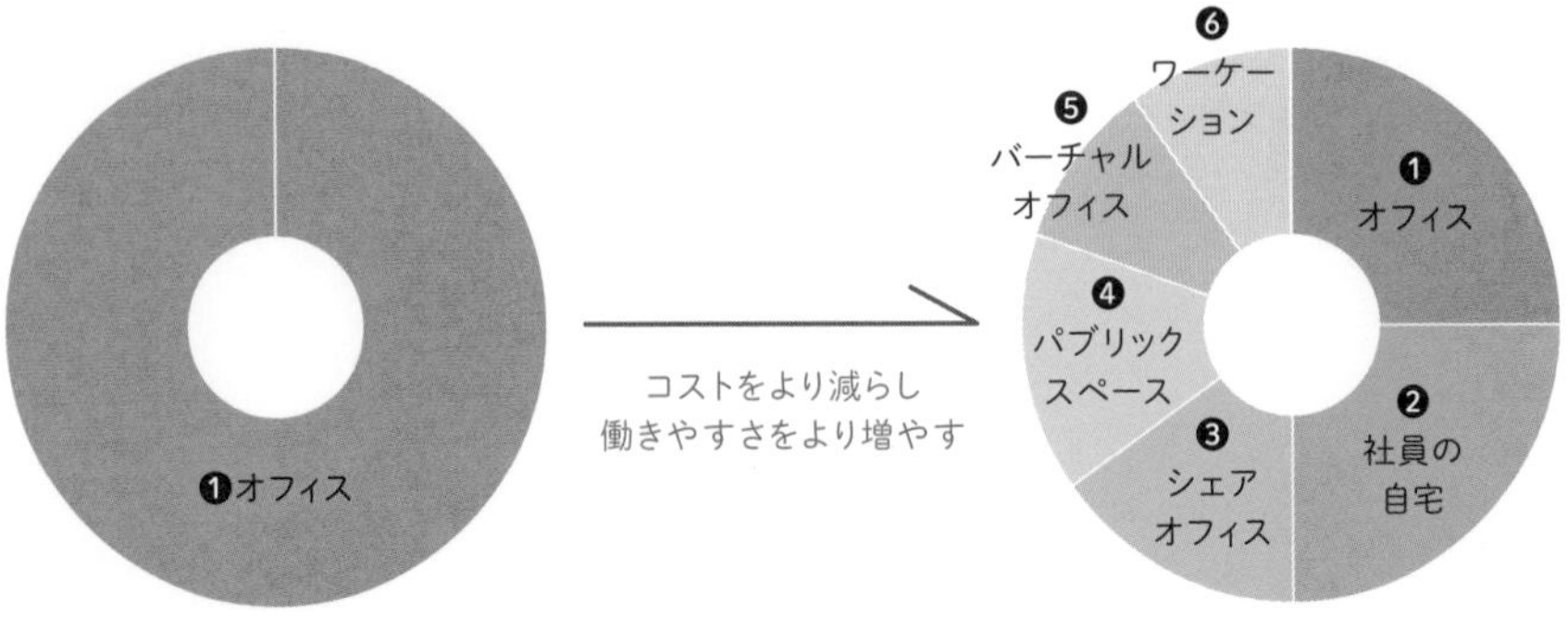

異なる働く場をうまく組み合わせ、コストを最小化し、働きやすさを最大化する（出所：若原氏）

がら、社員の移動効率を高め、可処分時間を増やすことができます。３つ目は社員数や働き方の変化に応じたオフィス戦略の見直しがしやすいこと。〝働く場の流動性〟を上げることが可能です。問題はどんなポートフォリオが適切かということで、これが未来のワークプレイスの在り方を決めるポイントとなるでしょう。

――ポートフォリオの決め方について教えてください。

まず行いたいのが、オフィスに残すべき機能を整理してみること。リモートワークの導入によって生じた課題を考えることが有効だと思いますが、少し疑いながら進めるのがポイントではないでしょうか。

――どういうことでしょう？

例えば、リモートワークの課題として、コミュニケーションの問題が挙げられます。よく耳にするのが、「対面の方が仕事がはかどる」「チームビルディングにはリアルが必要」「オンラインの社員教育は難しい」などです。確かにそうした面はあるかもしれませんが、「本当にそうなのか」と改めて考えてみることが大切だということです。今後、オンラインの機能が向上するなどして、新たなコミュニケーションの方法が生まれるかもしれません。

あるいは、情報セキュリティ、評価、労務管理、生産性などにおいて、オンラインによる管理に難しさを感じ、「リアルの働き方に戻したい」と考える人も多いはずです。しかしリアルに戻したからといって、問題は解決しない可能性が大でしょう。これらは、リモート導入前からあった課題であり、仮に目を背けられたとしてもそれは一時しのぎにすぎません。

――リアルの聖域は思うより多くない？

少なくとも残すべきオフィスは、これまでの単なる縮小版とは同じではないというのが私の見方です。ただし、全体のバランスを考えることは大切で、オフィスを減らし過ぎると、組織の弱体化や社員の帰属意識の低下も想定されます。

オフィスの適正比率の検討に当たり、私は「遠心力」と「求心力」の視点を持つことを勧めています。遠心力は、在宅勤務制度の整備やシェアオフィスの増床など、社員を会社の外に向かって働かせる力のこと。一方の求心力は、社員を企業に引き寄せるための施策で、その中心的な役割を担うのがオフィスです。コロナ禍の今は、全体に遠心力が効いている印象で、もう少しバランスさせる必要があるのではないでしょうか。

生活に直結するようなオフィスを

――求心力を生み出すオフィスとは、どのようなものでしょう?

社員が「自発的に行きたくなるようなオフィス」で、〝自発的である〟ことがポイントです。「オフィスは人と出会うための場所である」。今後もこのような理由で、定期的にオフィスへの出社を求める企業は多いでしょう。

しかし、働く場所として自宅もあり、シェアオフィスもあり、パブリックスペースもある中で、一度リモートワークに慣れてしまった社員がこれに賛同するとは限りません。強制による出社が、求心力につながるとは思えません。極端な話、仕事がない日でも社員が自発的に行きたくなるオフィスにするくらいの変化が必要で、そのためにはこれまでとは別視点からの際立った特徴が不可欠です。今後のオフィスは、仕事ではなく生活に直結するようなメリットを持たせる必要があるのではないでしょうか。

――具体的なアイデアはありますか?

オフィスを社員の健康管理の拠点と位置付けるアイデアはどうでしょう。毎年1月、米国のラスベガスで世界最大のデジタル技術見本市「CES《シーイーエス》」が開かれます。今年はオンラインのみによる開催でしたが、セルフィー（自撮り）画像や目の光彩画像からその人の健康状態をスマホで診断できるアプリ、尿からがんの発症リスクを測定するシステムなど、一般生活者を対象としたデジタルヘルスケア分野の広がりが1つのトレンドとして目立ちました。

健康に気を配る人が増えている一方で、こうしたデバイスを個人でそろえるのは容易ではありません。企業が福利厚生の一環として、これらをオフィスの什器《じゅうき》やトイレなどに組み込み、出社した社員の健康状態を業務中、もしくはトイレに立ち寄った際などに自動でチェック、場合によっては生活改善のアドバイスをするなどの機能を持たせるのです。社員個人の投資は不要、オフィスに定期的に通うだけで、健康面で最悪の事態を避ける効果が期待できます。

あるいは、社員食堂を充実させるのも1つの方法です。社食がとにかくおいしい、ヘルシー、しかも無料となれば、出社意欲も高まります。今後のセンターオフィスづくりには、「自分の生活の一部を会社がサポートしてくれるから行く」という発想が必要だと思います。

――オフィス、ワークプレイスが変わっていくと、それに伴うビジネスも変わりそうです。

これまでオフィス関連のビジネスは、開発や仲介をする不動産サービス会社、建物を建てる建設会社、家具・事務機器会社が中心でした。もちろん、これらの企業はメインプレーヤーとして残るでしょうが、オフィスの役割が変わり働く場所が多様化する今後は、新たなプレーヤーが活躍する余地が増え、ヘルスケア企業が活躍できる余地も大きいとみています。

TOPIC 2

事例

制度導入6年目、ソニックガーデンが全員テレワークで成果を上げられるワケ

コミュニケーションの課題は解決できるか？

コロナ禍でテレワークが拡大しているが、必ずしも成功事例ばかりではない。テレワークを有効に機能させるには何がポイントになるのだろう。2016年から全社員テレワークというソニックガーデン代表の倉貫義人氏に話を聞いた。

テレワークを導入したものの、オフィスへの出社を前提にしたワークフローの変更に慣れず、頭を悩ませる企業も多い。テレワークの課題とは、コミュニケーションとマネジメントに集約される。そんな中、独自のマネジメントで注目を集めているのが、ソフトウエアの受託開発を手掛けるソニックガーデンだ。同社は2016年に本社オフィスを廃止、以降全社員がテレワークで業務を遂行している。

〝ザッソウ〟を支援する仮想オフィス「Remotty」を自社開発

ソフトウエア開発という仕事柄、社員は必ずしも1カ所に集まる必要はなく、通信環境とパソコンがあれば仕事は成り立つ。しかし、だからと言って1人で完結する仕事ではない。同社は雑談と相談を合わせて「ザッソウ」と呼び、仕事に欠かせないものと位置付ける。

「隣席の先輩に『ちょっといいですか』と声をかけるようなザッソウは、仕事をする上で重要です。テレワークではチャットやテレビ会議といったツールを使いますが、チャットは相手の状況が分からないし、テレビ会議は日時調整が必要で『ちょっといいですか』の気軽さがない。そこで8年前に自社開発したのが仮想オフィスツール『Remotty（リモティ）』です。画面上には勤務中の社員の顔写真が2分間隔でアップロードされるので、チャットで呼びかけやすく、会話が必要ならばそこからＺｏｏｍの会議室に入れる仕様になっています」

ソニックガーデンの倉貫義人代表。2011年、ソニックガーデン設立。「納品のない受託開発」を展開する（写真：武藤 奈緒美）

勤務中の様子をPCカメラで共有することには賛否がある。社員の勤怠管理に必要との主張もあれば、監視される息苦しさを問題視する声もある。しかし同社は管理や監視のために、この機能を開発したわけではない。目指すはチームのパフォーマンスの最大化だ。

「チームにとってこの機能が必要な理由は3つあります。第一に信頼関係の構築。第二にステータス確認。第三に1人も取り残さないため。社員の中には淡々と仕事をこなし最低限のことしか発信しないタイプがいます。人間が組織で気持ちよく働くためには周囲が自分に気にかけてくれることが大きいのは学術的にも明らかで、その環境づくりの意味で設計しました」

また同社では本社オフィスは廃止したが、「ワークプレイス」という制度を設けている。「自宅だと家族がいて仕事がしにくい、集中できないといった場合は、自宅から通いやすい場所に仕事場を借りてよいことになっています。借りる場所や賃料に制限はありませんが、会社が出す補助金の範囲内に収まっているようです」

社内コミュニケーションツールとしてYouTubeやラジオなども活用

現在、社員は50人超。全員テレワークなので、他でどんなプロジェクトが動いているのかが見えにくく、社員同士、話したことがないケースもある。社内のコミュニケーションを円滑にするために力を入れているのが、YouTubeやラジオなどでの情報発信だ。

「社員や社内プロジェクトを紹介するために動画コンテンツを制作し、社内YouTubeで公開しています。また社長ラジオとして、私が考えていることや活動について音声で発信していま

「Remotty（リモティ）」のメイン画面（提供：ソニックガーデン）

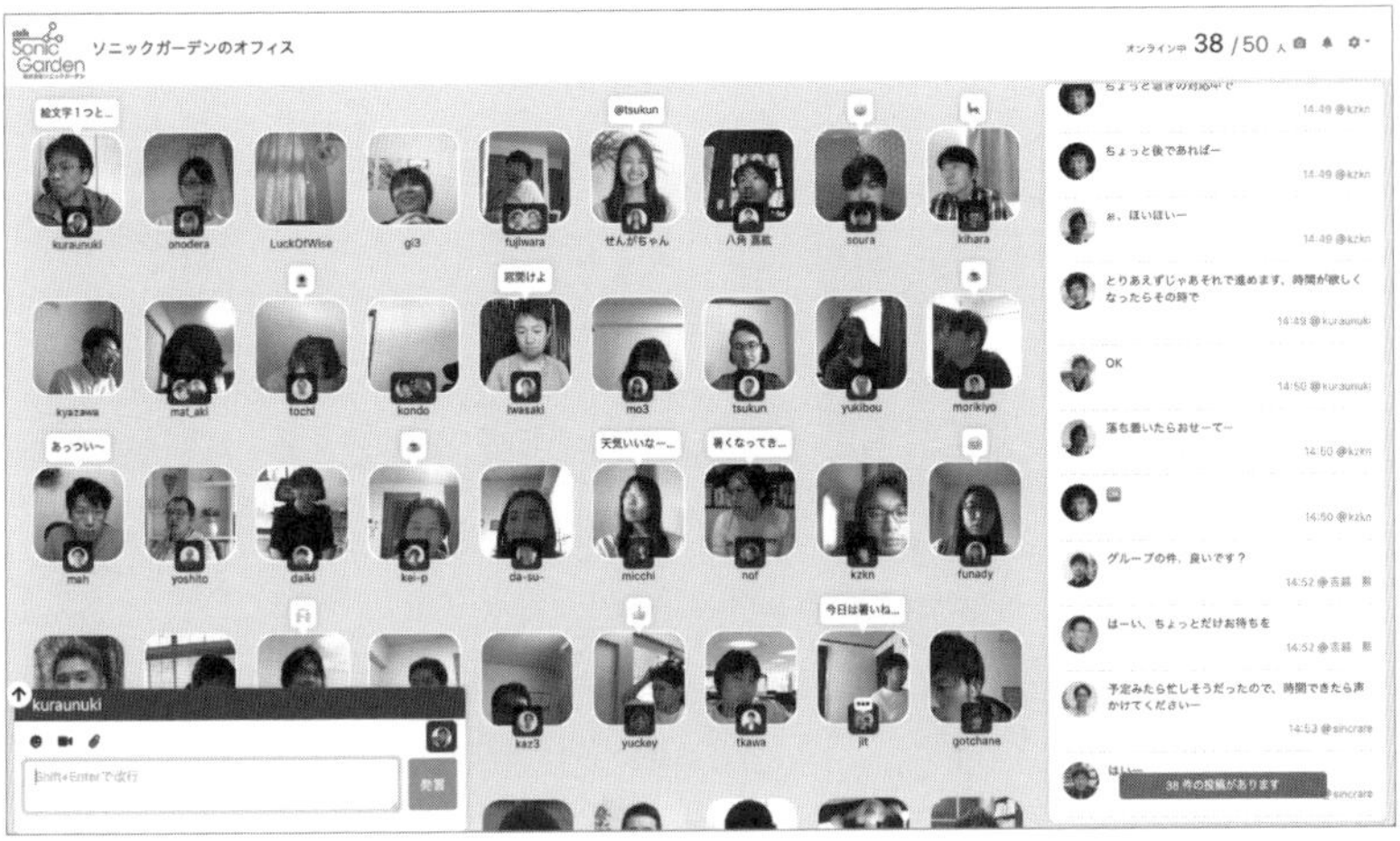

す。文章で発信すると重くなりますが、言葉ならばふんわりと伝えていけるのが利点です」

とはいえ、同社はバーチャル空間のワークプレイスやデジタルツールの活用に固執しているわけではない。実はリアルのコミュニケーションにも有効性を感じ、目を向けているという。

「テレワークで生産性は上がりますし、コミュニケーションも効率化できますが、それだけでは不十分。本人が感じている将来への不安や思いといったものはZoomでどれだけ話しても出てきません。やはり一定の時間を共に過ごすことが大事なのです。そのため、コロナ禍前は半年から四半期に一度、2泊3日の合宿を行っていました。内容はビジョンや価値観の共有などを目的としたワークショップで、最終日はみんなで遊びます。コロナ禍が収束し、気兼ねなく旅行ができるようになれば、また合宿をやりたいと思います」

TOPIC 3

事例

ワーケーションは定着するか？
いでよ、ヘルスケア型ワーケーション

働き方改革と地方創生にも乗った新しい労働形態として注目度が増しているワーケーション。日本で今後、ワーケーションは定着するのだろうか。その現状と展望について、ＪＴＢ総合研究所のヘルスツーリズム研究所長・髙橋伸佳氏に聞いた。

ワーケーションは「ワーク（仕事）」と「バケーション（休暇）」を組み合わせた造語。通常の勤務地から離れたリゾート地などで一定期間仕事を行い、勤務以外の時間を活用して観光やその地域特有の娯楽を楽しむスタイルだ。ワーケーションは、企業側にとって一定のメリットがあるとの通念がある。「社員がリフレッシュしながら仕事をすることで、仕事でたまったストレスを発散でき仕事の効率が上がる」「有給休暇の取得が促進される」などの点だ。

国や自治体もワーケーションの推進には積極的だ。政府は自治体と連携した助成金・補助金制度を設立。北海道、沖縄県をはじめ、域内に多くのリゾート地を抱える自治体は、コロナ禍による観光収入の減少を補う目的もあって、ワーケーションのための環境整備に余念がない。

海岸を見下ろすホテルのカフェで、笑顔のビジネスパーソンがカジュアルな服装でパソコンに向かう写真・映像がマスコミなどで紹介されると、ワーケーションは順調に普及すると推察される。しかし髙橋氏はその考えが甘いと指摘する。

現在は話題先行？

髙橋氏が理事を務める特定非営利活動法人日本ヘルスツーリズム振興機構が2021年3月に発表した研究レポートによると、首都圏在住、20〜49歳の男女（正規社員・従業員）300人を対象とした調査で、ワーケーションの経験者はわずか4％だった。

JTB総合研究所の髙橋伸佳主席研究員。ヘルスツーリズム研究所長も務める（撮影：川田 雅宏）

髙橋氏は「この結果から分かるように、日本でのワーケーションは話題先行。ワーケーションに積極的な企業や受け入れ態勢を整えている自治体もあるが、現状、多くのケースは企業が所有する保養地施設で研修などを行うことがほとんど。こうしたものは以前からあったので、本来のワーケーションの趣旨に沿ったものとは言えません」と話す。髙橋氏によると、日本でワーケーションの普及を阻んでいるのは、主に企業側の労務管理の問題が大きいという。

「経営者は、ワーケーションはリスクが大きくメリットが薄いと考えています。事故などの場合の責任や労災認定はどうなるのか？　コストは企業側と従業員のどちらが持つのか？　従業員は『単なる休暇ではないのだから企業がコストを負担すべき』という意識があるが、企業側は負担分相応の成果を見込めるのか？という話になる。企業側が本腰を入れるようになるには、相当ドラスティックな働き方、勤怠管理制度の見直しが必要となるはずです」

ニューノーマルに合った働き方で潜在需要は大

ただし髙橋氏も、ワーケーションの潜在需要の大きさは否定しない。「日本ではそもそも実施数が少ないので、今後は伸びることが確実と思われます。従業員の健康志向もあり、『ワーケーションはニューノーマル時代に適した働き方』という考えが定着していくでしょう」。

ではワーケーションの本格普及のために、何が課題となるのか？　先述の労務管理の問題だけでなく、メリットが従業員の「気分転換」「リフレッシュ効果」だけでは、企業側の姿勢は変わりづらい。髙橋氏は「ワーケーションとヘルスケアの親和性」がポイントだと説明する。

「ワーケーションを望む従業員は健康を気遣う傾向が強く、ワーケーションが心身の健康づくりに寄与することを期待しています。企業側もヘルスケアの効果が確立されれば、ワーケーションを健康経営の一環として取り入れやすいし、意識の高い若手や優秀な人材の採用・確保にもつながります。受け入れ側の自治体・地域としても、自然資源をヘルスケア型ワーケーションとして活用するための整備を行うことで、継続的な地域活性化が期待できます」

前述の調査で、ワーケーションで求められる要素として「自然環境に恵まれた開放的な空間が広がる所」「スローライフが体現できるのんびりとした所」が浮かび上がる。

「こうした地域からは心身の再生効果が得られますが、私はさらに『アクティビティの充実』を期待します。ウオーキング、ヨガ、ストレッチなど、ワーケーション中に様々なアクティビティに触れることで健康に対する気づきが生まれます。それにより従業員の行動変容をもたらすことができれば、期間後も運動を日常化させることになります。このように長期的な労働生産性の向上につながっていくのが、従業員、企業側双方にとっての理想のはずです」

これまでワーケーション促進のために、通信会社は5G環境など、ホテル・観光業者らはインフラ整備を行い、政府や自治体は補助金などで普及を後押ししてきた。

「そうした〝第1フェーズ〟は終わりつつあります。次のフェーズとしてヘルスケア関連の事業者が、様々な健康サービスをつくり出そうとする試みが始まっています。こうしたサービスが充実することで、ワーケーションは本格的な定着に向かうと考えています」

Beyond Workplace

KEY WORD

アクティビティ・ベースド・ワーキング（ABW）

場所や設備を使い分ける働き方として注目

アクティビティ・ベースド・ワーキングとは、働く人のアクティビティ（活動）に基づき、それにふさわしい場所や設備、時間などを選んで生産性を高める働き方のこと。英語表記（Activity Based Working）の頭文字を取ってABWとも呼ばれる。

勤務形態やオフィスの空間づくり、設備の使い方など幅広い文脈でこの言葉は使われているが、共通した目的は「働き方を改善することで仕事の成果を効率的に高めよう」というところにある。具体的には、集中して作業をするのか、議論をするのか、電話会議をするのか、あるいは休憩するのか。このように活動によって仕事を捉え直すことにより、それぞれの活動に合った働く場所や時間を最適化する。例えば、集中して作業する場合には、オフィスでもいいが、自宅で行った方が効率は高まると考える。紋切り型に「パート職員は出社しなければならない」などと決めつけず、仕事の成果が最も上がる働き方を個人の活動内容によって決めていくのがポイントだ。

ABWの発想はオランダで生まれた。同国では1990年代に経済危機を迎え、現在日本でも進んでいるような労務政策の改革を矢継ぎ早に進めた。同一労働同一賃金、テレワークの導入、パートタイマーの拡大などだ。人的資源をより有効に活用する必要性に迫られたことから、より仕事の効率を高めるために、働き方を改善していく視点として注目されたのがＡＢＷだった。

国内では政府主導の働き方改革が進む中で注目されてきたが、新型コロナウイルス感染症の拡大を受け、より関心を集めている。

プレゼンティーイズム

医療費を上回る企業の健康関連コスト

プレゼンティーイズム（presenteeism）とは、病気欠勤を示すアブセンティーイズム（absenteeism）の反対語としてつくられた造語。従業員が出勤しているものの、体調不良や心身の病気で業務効率が上がらず、生産性が低下している状態を指す。

勤怠管理上、表には出づらいが、企業にとって医療費やアブセンティーイズムを上回る損失コストであることを示す研究が増えており、改善すべき経営課題として注目を集めている。放置すると、業績はもちろん、ブランド価値の毀損につながる可能性がある。

プレゼンティーイズムへの取り組みで課題となるのが、投資コストの問題だ。プレゼンティーイズムの要因を大きく分けると、❶頭痛などの運動器・感覚器障害、❷メンタルヘルスの不調、❸心身症（ストレス性内科疾患）、❹生活習慣病、❺風邪や花粉症などの感染症・アレルギーが挙げられるが、これらすべての対策を単独で行うのは至難の業。健康保険組合と企業が一体で取り組むコラボヘルスなどの推進が期待される。

プレゼンティーイズムの背景として、「少しくらい体調が悪くても、出社するのが当たり前」など、誤った美徳による弊害を指摘する声もある。社員の意識改革が必要となる一方、コロナ禍により在宅勤務が増えた今後は、よりきめ細かな健康管理の仕組みを整える必要もあるだろう。米国商工会議所のリポートによると、2015年における日本のプレゼンティーイズムとアブセンティーイズムによる労働損失は、GDP（国内総生産）の3・8％で、2030年には4・1％になると予想されている。

セレンディピティ（偶察力）

偶然で幸運な出合いによって得られる発見

セレンディピティとは、英語の「serendipity」で、「偶然の幸運な出合いによって予想外のものを発見すること。または発見する能力（遇察力）」の意味。ビジネスでは、社員同士の雑談や何気ない会話、交流などが、課題解決のヒントやイノベーションの創出につながることがある。リモートワークが普及・拡大する中、実際に人が集まるからこそ生まれるこうした利点が見直され、オフィスが持つ根源的な価値や機能として再評価を受けている。

セレンディピティの好例として挙げられるのが、3Mのポスト・イットの誕生秘話だ。強力な接着剤の開発を進めていた3Mの科学者であるスペンサー・シルバー氏は、ある時マイクロスフィアと呼ばれる「しっかりとは接着しない接着剤」を発見し、その使い道について社内のあらゆる部門と相談した。

5年後、「賛美歌集のしおり」として使うアイデアを思い付いたのが、同社のアート・フライ氏。その後2人は、連携して製品開発に当たることとなり、「社内でのコミュニケーションツール」の発想を得た新商品は、今に至る大ヒット商品となった。

オフィスでフリーアドレス制を導入したり、コピー機の周りをマグネットスペースとして活用したり、社内カフェを設置することなどが勧められるのは、このセレンディピティを高めることも目的の1つ。社員が自然に関わり合える交流の場をつくり、コミュニケーション機会を増やすことで、通常の会議では起こりづらい「予期しない化学変化」の可能性を高めることが期待できる。

マインドフルネス

国内外の大手企業が研修に採用

マインドフルネスとは、雑念を抱かず、今の瞬間に集中する心の状態のこと。米マサチューセッツ大学にマインドフルネスセンターを創設したジョン・カバット・ジン氏は、マインドフルネスを「今ここでの経験に評価や判断を加えることなく能動的な注意を向けること」と定義している。

マインドフルネスという概念は、仏教の瞑想に由来する。その考え方や行為を現在のマインドフルネスとして世界に広めるきっかけをつくったのが、ジョン・カバット・ジン氏である。

同氏は、呼吸や瞑想を通じて今この瞬間に心理的注意を向ける訓練を行うマインドフルネス・ストレス低減法（ＭＢＳＲ）を提唱した。出来事や感情、思考などを客観的に捉えることを目的とした訓練である。当初は医学的治療で十分な効果が得られなかった慢性疼痛患者などに用いられてきたが、精神的な落ち着きをもたらすという効果が注目を集めた。

本来、マインドフルネスは特定の状態を目指すための手段ではなく、自分の状態や起こる出来事をあるがままに受け止めることを指す。ただし、マインドフルネスを実践することで、結果として、集中力や生産性が向上したりストレスが低減したりするといった報告がされている。

2000年代からは、グーグルやアップル、ゴールドマンサックスなど米国の大手企業が社内研修にマインドフルネスを続々と取り入れ始めた。その後、健康経営の重要性が叫ばれ始めた日本でも、従業員へのマインドフルネス研修が徐々に浸透し始めている。

緑視率

オフィスの植物が仕事中のストレスを軽減

緑視率とは、人の視界に占める観葉植物の割合のこと。その空間に植物がどれだけ存在しているかを示す指標として使われている。

豊橋科学技術大学名誉教授の松本博氏らは、オフィス空間に観葉植物を設置することで従業員のストレスを軽減できるという研究成果を明らかにした。これを受けて、これまで都市景観の調査や街づくりに用いられてきた緑視率が、オフィス空間の設計にも活用され始めている。

松本氏らの研究では、愛知県内のオフィス勤務する男女30人を対象にし、観葉植物を設置した場合としなかった場合の比較を行った。その結果、観葉植物を設置したオフィス環境の方が、社員の睡眠時間の短さによる体調不良やモチベーションの低下を緩和していることが分かったという。

さらに、生理的な反応を観測するため、ストレスを受けると分泌が高まるとされる唾液アミラーゼ活性値の測定も行った。従業員30人の唾液アミラーゼ活性値の平均は、植物を設置しなかった場合で2・76であるのに対し、植物を設置した場合は2・61だった。この結果から、植物を設置することが生理的なストレスを軽減する効果があることが確認できたというわけだ。

パソナ・パナソニックビジネスサービスは、同社が手掛ける健康経営ソリューション「COMORE BIZ（コモレビズ）」に緑視率の視点を取り入れている。COMORE BIZは、職場環境を自然環境に近づける「バイオフィリックデザイン」を実現することで、従業員のストレス軽減を目指すソリューション。独自の植物データベースを用いて選定した植物を緑視率10〜15%の割合で設置している。

第 4 章

未来の薬局はこうなる

〜Beyond Pharmacy〜

「空間×ヘルスケア 2030」の1つとして
日経BP 総合研究所／Beyond Healthが描いている
未来の薬局「Beyond Pharmacy」。その未来像の解説（VISION）に加え、
未来を読み解く座談会（DISCUSSION）・事例（TOPIC）・
キーワード（KEYWORD）を紹介していく。

未病の改善を推し進める社会の〝ハブ〟に、薬剤師は「ヘルスケア・マイスター」へ

医師が処方した薬を患者に渡す場所――。そんな〝従来の薬局・薬剤師〟のイメージは今後、ガラリと変わっていく。Beyond Healthが考える、**２０３０年に実現しているべき「薬局」空間をイラスト化したのが左ページのBeyond Pharmacy（未来の薬局）だ。**Beyond Pharmacyの役割は、端的に言うと「未病の改善を推し進める社会の〝ハブ〟」である。病気と診断される前の未病状態の人を適切にケアする、特定の疾患を患っていない人の健康を守る……。こうした生活者との接点が大きく増えていく。

変化の一端は、少しずつ見え始めてきた。例えば、２０２０年9月に施行された「改正薬機法」では、薬剤師による患者の服薬期間中を通じたフォローアップが義務化。これを受け、薬局外での患者フォローを支援するツールも相次ぎ登場している。

こうした中、Beyond Pharmacyに描いた未来の薬局・薬剤師の姿はどんなものなのか。具体的に見ていこう。

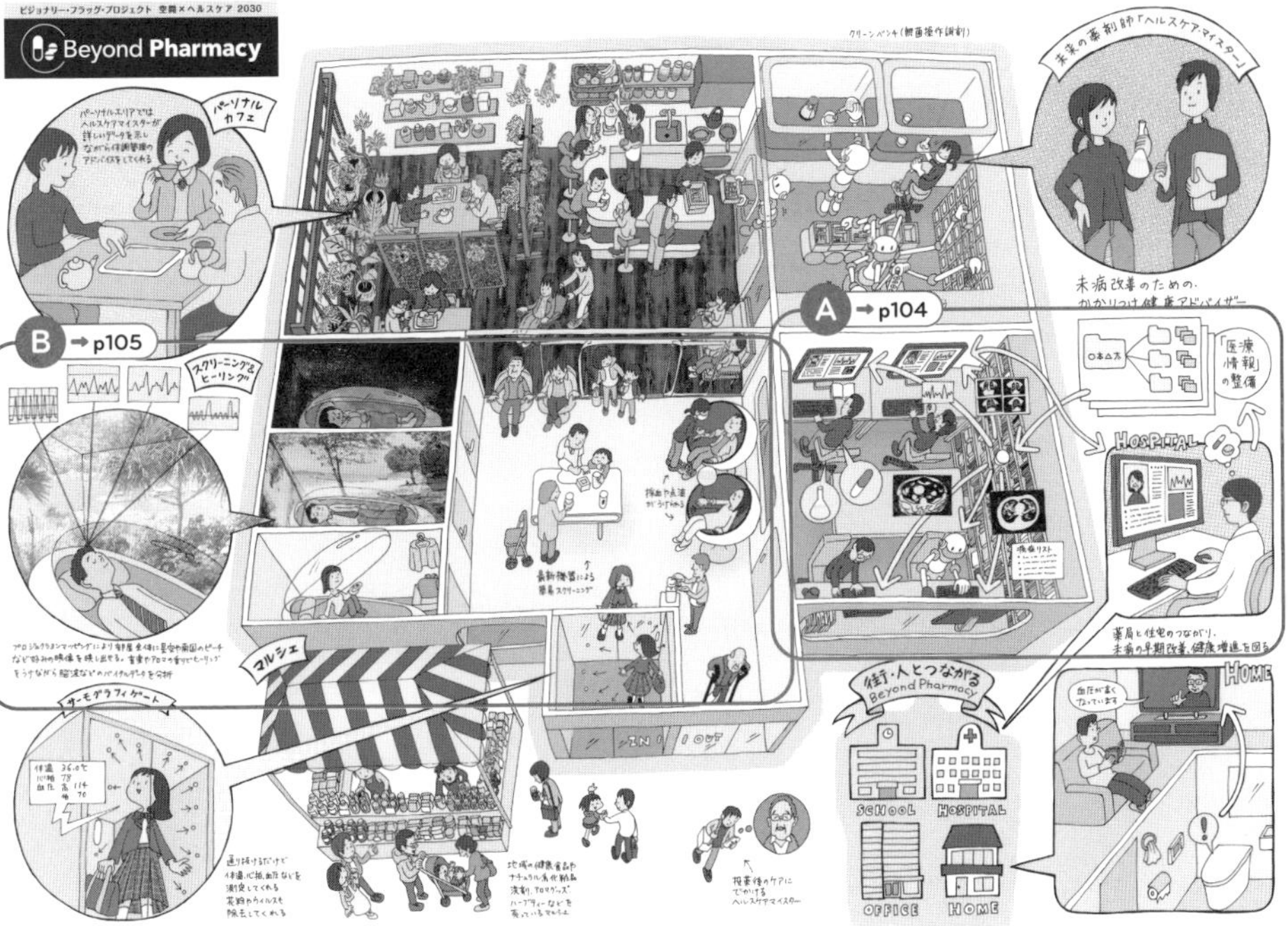

イラストレーション：©kucci,2020

〝心臓部〟はデータスペース

未来の薬局に存在するであろう大きく4つの機能を想定し、それらを実施するスペースを描いた。❶データを取り扱うスペース、❷スクリーニング&ヒーリングスペース、❸コミュニケーションスペース、❹ピッキングスペース、である。

❶のデータを取り扱うスペース（次ページのイラストA）は、Beyond Pharmacyの〝心臓部〟ともいえる。ここには、住宅や会社、学校、商業施設などのあらゆる場所で取得された生体情報（バイタルデータ）が蓄積されていく。このデータをＡＩがモニタリングし、異常値が検出されたら薬剤師にアラートを出

し、薬剤師の判断でケアを行う。

薬剤師が受診すべきと判断した場合は受診勧奨を行い、生活習慣を改善すれば対応できると判断した場合はオンラインで食事や睡眠の指導をする。生活の様々な場面で取得されたデータから、いち早く危険を察知して速やかに適切なケアを行う。

これによって、必要のない人が医療機関を受診することや適切な受診タイミングを逃して病気が進行してしまうこと、感染症が拡大してしまうことなどによる医療崩壊を防ぐ。まさに、薬局が住宅や会社、学校、商業施設などの生活の場と、医療機関をつなぐハブの機能を担う。

❷のスクリーニング&ヒーリングスペース（イラストB）では、これまで薬局に行く必要のなかった人がふらっと立ち寄りたくなるきっかけを提供する。１つの手法として、疾患の予兆を把握できるスクリーニング機器や心身を癒やすためのヒーリング機器を設置して、無料または安価で誰でも試せるようにすることを想定した。

B
スクリーニング&ヒーリング
プロジェクションマッピングにより部屋全体に星空や南国のビーチなど好みの映像を映し出せる。音楽やアロマの香りでヒーリングをうけながら脳波などのバイタルデータを分析
サーモグラフィゲート
マルシェ
最新機器による簡易スクリーニング
採血や点滴がうけられる
IN
OUT

もちろんスクリーニングやヒーリングの機器だけでなく、フィットネスジムや映画館などの付帯施設を設けることも想定できる。仕事や買い物の帰りに寄ってみたくなるようなシカケをサービスとして用意してもよい。ゲーミフィケーションの考え方を活用して、来店ポイントをためられるサービスを採用するのも手だろう。エンターテインメントやアミューズメントの視点は未来の薬局を考える上で重要だ。

健康づくりの場に

❸のコミュニケーションスペースは、健康づくりの場である。患者あるいは未病状態の人のそれぞれが薬剤師とのコミュニケーションを図れるスペースを想定した。

患者とのコミュニケーションでは、薬を渡すだけではなく、治療生活のアドバイスやフォローアップを行う。例えば、栄養が取れるスムージーを提供したり、患者の症状に合わせたレシピを紹介したりする。患者との太く長い信頼関係を築く狙いもある。

未病状態の人にとっては、「寝つきが悪い」「糖尿病を改善するための生活について聞きたい」など心身の健康についての相談ができる場所となる。相談に乗る薬剤師は、相談者に合わせて食事のレシピやサプリメント、アプリなどのソリューションを提供する。

イラストに示したようにカフェの機能を持たせれば、お茶を飲みながら気軽に相談ができ、より立ち寄りやすくなるだろう。医療機関にかかるほどの症状はないが、心身の健康で気になることがあればふらっと訪れることができる場所になる。

なお、イラスト上ではあくまでコンセプトを示すために、薬を渡すスペースと未病状態の人が相談するスペースが隣接している。実際には、患者と未病状態の人の動線は分ける必要があるだろう。

「ヘルスケア・マイスター」は必ずしも薬剤師とは限らない

❹のピッキングスペースでは、調剤業務を自動化する。これまで薬剤師が多くの時間と労力

を使ってきた業務を自動化することで、❶〜❸のスペースで行う業務を担う余地が出てくるというわけだ。

逆に言えば、Beyond Pharmacyの中で担う薬剤師の業務はこれまでと大きく変わる。その新たな役割を象徴的に示すため、薬剤師は「ヘルスケア・マイスター」と名付けた。

ヘルスケア・マイスターの実現に向けては、新たな役割に対応した教育や制度設計も必要になってくるだろう。実際にどのような課題を解決していく必要があるのかなど、多くの関係者との議論を進めていきたい。

また、今回のBeyond Pharmacyでは、薬剤師がヘルスケア・マイスターになることを想定したが、場面によっては必ずしも薬剤師である必要はないかもしれない。管理栄養士やケアマネジャーなど、どのような職種がヘルスケア・マイスターを担っていけるのかについても引き続き議論していきたい。

DISCUSSION

座談会

2030年に目指すべき〝未来の薬局〟の在り方とは

避けて通れない薬学教育の見直し

Beyond Healthが未来の薬局の姿として描いた「Beyond Pharmacy」。鍵を握るのが、「ヘルスケア・マイスター」として人々の健康を支える薬局の薬剤師だ。この未来像は実現可能なのか。乗り越えるべき課題とは？　薬局・薬剤師関連の規制を管轄する厚生労働省OB含め4人の識者が議論した。

――Beyond Pharmacy（102ページ）に対する率直なご意見をお聞かせください。

佐藤　非常に分かりやすいイラスト。実現へのハードルが高くとも理想の姿を追求して描いてあるところにも好感が持てます。一点補足すると、これまでサービスは同一空間・同一時間で提供することが当たり前とされてきましたが、リモートの生活様式が浸透してきたことにより同一空間という足かせが外れてきました。それを考えると未来の薬局の究極の姿は、〝薬局に行かなくても済むこと〟ではないでしょうか。単に薬をもらう点から言えば、リアルの薬局はなくてもいいのではないかとさえ感じます。

星　薬局の薬剤師として在宅医療に長く携わってきた私は日本プライマリ・ケア連合学会に

（写真：花井 智子）

［**パネリスト**］（氏名50音順）
久留米大学特命教授／元厚生労働省健康局長 **佐藤敏信氏**
日本保険薬局協会会長／アインホールディングス代表取締役専務 **首藤正一氏**
メディカ ほし薬局※ 代表取締役社長 **星 利佳氏**
日本製薬工業協会専務理事／元厚生労働省大臣官房審議官［医薬担当］ **森 和彦氏**
［**モデレーター**］
日経BP 総合研究所 Beyond Health編集部 **庄子育子**

入っているのですが、学会所属の認定薬剤師の間でまさにこのイラストのような世界観について話し合っています。薬局にはいろんな可能性があり、それを広げるには、薬局だけで完結しないことがポイントです。介護であればケアマネジャー、食事であれば管理栄養士、リハビリであれば理学療法士や作業療法士、口腔ケアであれば歯科医師といった具合に、多職種の専門家と連携するハブになるのが理想です。

首藤　日本には約6万軒の薬局があり、この資源を医療に活用すべきとの声は年々高まっています。長時間労働が常態化している医師の働き方改革を支えるものとして薬剤師ができる仕事を増やし、

※山形県最上地域で薬局3店舗のほか、居宅介護支援事業所、栄養ケアステーションを運営する

薬局で実践できるようにすることもその1つです。
ただしそれは今の薬局の延長線です。付加価値を高める上では、薬局自体に価値を持たせることが必要です。現状は法的な制約により踏み出せない部分も多々ありますが、どこかでそのきっかけをつくらない限り変わりません。あくまで仮の話ですが、将来的には薬剤師による初期診断などもこのイラストに付け足してもいいのではないかと思います。

佐藤　そのためには薬学教育を根本から変えていく必要があります。現在の薬学教育は有機化学をベースに構成されていますから※。Beyond Pharmacyにおけるヘルスケア・マイスターのような役割を持たせたいなら、解剖学、生理学、生化学、病理学などの基礎、それにできれば内科学をきちんと学ばないと難しい。
もちろん、医療現場の疲弊を考えれば薬剤師に頑張ってほしいのが本音です。一部の薬学部だけでも基礎医学を一通り学んだ上で、医師の診療の補助ができるような能力を持った人を育てるように変えていくべきです。

久留米大学
佐藤敏信氏

日本保険薬局協会
首藤正一氏

メディカ ほし薬局
星 利佳氏

日本製薬工業協会
森 和彦氏

※有機化学は、物理化学や生物化学などとならび薬学教育の基盤となるもの。ただし、近年は薬剤師が臨床の場で活躍することを目指した医療薬学教育の充実が図られている

森　確かに薬学教育は、有機化学を中心とした創薬の成功体験に基づく栄光を引きずっているところがあります。しかし21世紀に入って創薬のターゲットが低分子化学合成医薬品からバイオ医薬品に広がり、さらに様々なモダリティ（創薬手法）が登場しつつあります。ここに疾病構造の変化を背景とした医薬品開発のトレンドの変化が加わり、必要とされる薬物療法に関する知識と現場での教育内容とのズレが生じていると思います。こうしたズレをカバーするためには先生も学生もひたすら必要とされることを勉強するしかありません。私が関わった2019年の改正薬機法では、薬剤師の仕事がモノとしての薬の調剤業務にとどまらず、薬を通じて患者をしっかり支えるところに真のやりがいと魅力があることを伝えたいと考えました。

いずれにせよ、薬剤師の意識改革は不可欠です。急速に進歩するテクノロジーを駆使することで効果的なアウトリーチ（外部への働きかけ）が実践できるようになります。例えばウェブカメラやスマートグラスを使って在宅患者の生活様式や薬の管理状態を見せてもらい、患者や家族が不安に思うことや疑問点について遠隔から薬剤師がアドバイスしたり解説したりする方法もあるでしょう。薬局の在り方を空間・機能面でも幅広く考える時代になってきたからこそ、薬局を必要とする人とうまくつながるための薬剤師の〝人間力〟を養うことが大事になります。

星　私が在宅医療を始めた二十数年前は先人がおらず、手探りからスタートしました。実践している医師や訪問看護師、介護ヘルパーに同行し、ほかの職種の方は何をしていて、どのタスクで人手が足りないのかを観察した結果、〝会話〟が不足していることが分かりました。在宅医療に関わる医療従事者は非常に忙しく、患者や家族と十分なコミュニケーションが取れていない。そこで私が相談の役目を引き受け、それを医師や看護師に伝えるようにしたのです。

さらに訪問を重ねるうちに、いつもと違う、少し様子がおかしいということが何となくつかめるようになりました。そこでフル活用したのが自分の感覚です。見て、嗅いで、触って、聴いて、まずは変化を感じるようにしました。変化があればお伺いして、言葉で聞き取ってそれを医師に橋渡しします。これは学校では教えてくれません。実践でしか学べないことです。

――では、〝未来の薬局〟実現に向けての課題や法規制などの壁について聞かせてください。

佐藤　薬学教育の改革に加え、薬剤師にとっては医学部のような卒後教育が重要になります※。医学部、特に外科のスキルの修得の過程を傍から観察してきましたが、卒後教育が肝なんです。寿司屋の職人と一緒で、礼儀作法に始まり、玄関前の掃除から含めて手取り足取り教わり、ようやく20年経ってから一本立ちする。基本が身についているので応用もできるわけです。

ところが調剤薬局の薬剤師は、卒後教育が十分でないまま外に出されてしまいます。極端に言えば、学校を出てあまりたたないうちに開業している状態です。一方、最近の病院薬剤師は患者の症状、療養の実態を日常的に見ています。真の意味で地域に根ざす薬剤師を目指すのであれば、理想論かもしれませんが10年ほど病院薬剤師を務めてから、市中の調剤薬局で勤務す

※卒後研修として病院薬剤師を主な対象として、薬剤師レジデント制度を導入している病院もある

るというやり方があってもいいのではないでしょうか。

首藤　調剤薬局の薬剤師がまったく病院の経験をしていない背景には、規制の問題も絡んでいます。規制が変わらないことには、教育の改革にたどり着かないと考えます。

ただし、規制緩和が今後どのように進むかは想像がつきません。2016年に敷地内薬局が解禁されたことに薬局業界は大きな衝撃を受けました。それまで国が進めてきた医薬分業を後戻りさせるような動きで、あり得ないと思っていたゲームチェンジが起きたのですから。2021年4月20日に開催された政府の規制改革推進会議医療・介護ワーキンググループでは、（ファルメディコの）狭間研至先生が、対人業務へのシフトが前提ならば中小薬局から調剤室をなくし、調剤業務を外注するのはどうかと提言しています。それは無理だろうと思いながらも、敷地内薬局の前例があるので何とも言えません。

もしも敷地内薬局の役割が拡大し、薬局薬剤師が病院内で調剤業務を担えるようになれば、佐藤さんが提案している病院薬剤師の業務を経験できるようになります。ある意味、仕事を受注した上で教育してもらえるという考え方です。

森　最近では病院薬剤師はカルテを見て仕事をするのが当たり前になってきました。しかし薬局の薬剤師は処方箋に基づき調剤し、患者から聞き取る情報を頼りに仕事をするのが基本です。薬剤師がどこにいても患者の病状についての正確な情報を把握して仕事をする体制はまだ構築されておらず、そこを整備しないことには未来は始まりません。

カルテ情報は最も繊細なものであり、地域の医療・介護に関わる多職種、機関にどこまでアウトリーチできるかが課題になります。例えば調剤薬局に病院薬剤師の経験を持つ人がいれば、患者が受診している医療機関の薬剤師と病状についてコミュニケーションが取りやすいと考えます。まずは病院と薬局の薬剤師がお互いに信頼して仕事ができるためにプロフェッショナルとしての共通の知識やノウハウを研さんすることが必要です。

──最後に、薬剤師の職能啓発や薬局の新たな価値創出に向けてなすべきこととは？

佐藤　調剤などの対物業務の効率化ではITに並び、フォーミュラリ（医薬品の有効性・安全性など科学的根拠と経済性を総合的に評価して、医療機関や地域ごとに策定する医薬品の使用指針）が鍵を握ると思います。フォーミュラリが機能すれば、実は個々の薬剤師の能力は目立たなくなる可能性もあり、そうなるとどうやってそれを発揮していくかを考えなければならなくなります。

星　私はフォーミュラリをつくる部分こそ薬剤師の腕の見せどころだと考えています。そこでは存分に存在意義を発揮できますから。

実のところ、私は服薬指導を薬剤師のメイン業務と捉えていません。服薬指導は機械に任せ、むしろどのように服薬支援を継続するかに力点を置いています。「これを飲めば血圧が下がるんですよ」と表情豊かにアドバイスできるのは人間だけです。我々が目指す薬局のイメージは学校保健室の街なか版。まずは薬局に相談に行き、不安があったら連携している専門家につなぐ。その輪が広がればこれまでとは違う、より頼りがいのある場所になるのではないでしょうか。

首藤　飲み合わせのチェックなどはむしろＡＩの方が得意で、ＡＩに学習させた方が効率的です。それを考えると、どうやって患者に安心を与えられるかといったコミュニケーション能力が薬剤師に欠かせない資質になります。現実社会ではデパートがアマゾンになり、レストランはウーバーイーツに変わろうとしています。根本から考え方を変えないと、これほどまで乱立する薬局は淘汰されるばかりでしょう。例えばイタリアの薬局は病院の調剤を受託し、予約を請け負って患者を病院に紹介しています。さらに大きいのが保健所の業務を代行していることです。保健所は病院や診療所に精通していないため、薬局が中継点となって患者を紹介するのです。この仕組みがうまく機能していると聞きました。

森　薬局や薬剤師に特色が出てくれば、おのずと信頼感が生まれます。そして得意分野を打ち出すことは患者と薬局とのミスマッチを避ける意味でも大きい。高血圧でも糖尿病でも何でもいい。「当該分野に関しては経験豊富な薬剤師がいるので安心して相談してください」といった姿勢を見せることが価値につながります。また、医師などには言いにくいが誰かに話を聞いてほしいという患者や家族のニーズが大きいのは私もよく耳にします。人間の不安を受け止められるのは人間だけですから、まだまだ薬剤師の仕事に発展の余地は十分にあると思います。

TOPIC 1

事例

未来の薬局像を「〝古き良き〟×ロボット」で実現する

地域に根差す薬局であり続けるための戦略

長野県上田市にあるイイジマ薬局は、このほど薬局ロボットを導入し、国内初となるOTC《オーティーシー》医薬品（市販薬など処方箋なしに購入できる医薬品）向け大型タッチディスプレーも取り入れた。もともと、地域の生活者や患者のファーストアクセスの場として機能してきたことで知られる同薬局。その〝古き良き〟側面に、ロボットを組み合わせることで実現する世界を追った。

人口15万5000人、長野県第3の都市である上田市は市民の間にかかりつけ薬局が浸透しているモデル地域として名を馳せる。複数の病院・クリニックの処方箋を受け入れる面分業の薬局が多数を占め、2015年の「患者のための薬局ビジョン」で示された〝対物業務から対人業務へ〟の姿勢を以前から貫くなど、地域密着型薬局の充実を図ってきた。

上田薬剤師会で中心的な役割を果たしてきたのがイイジマ薬局だ。処方薬、OTC医薬品、衛生材料、日用品を取り扱う同薬局は〝専門性と利便性〟を標榜し、サービスの質に加え、薬剤師の職能意識向上に努めてきた。また、サービスを支える手段としてIT機器を積極活用する。

発注に従ってロボットアームが
テキパキと薬を払い出す（写真：小口 正貴、以下同）

〝うなぎの寝床〟からロボットアームがキビキビと薬をピックアップ

そのイイジマ薬局が2020年7月に導入したのが、日本BDが提供する薬局ロボット「BD Rowa Vmaxシステム」（以下、Vmax）だ。処方薬、OTC医薬品双方を一元管理。薬局2階の小型倉庫に収められた薬剤箱を、ロボットアームが指示に従って自動で入庫・払い出しなどを行う。1階から発注すればらせん状のシューターを通じて薬が薬剤師の元に届く。

取材時、Vmaxに保管されていた処方薬、OTC医薬品は3546種類、6848箱。高さ2・62m×幅1・63m×奥行き5・55mと〝うなぎの寝床〟のような空間の左右の棚にびっしりと薬剤箱が置かれ、ロボットアームがキビキビとした動きでそれらを移動したり取り出したりしていく。取り出し口は処方薬が4口、OTC医薬品が1口の合計5口で、どの取り出し口に払い出すかは自動で制御してミスなく実行する。入庫時にバーコードを読み込むことで有効期限の管理も行える。

Vmaxと連動する形で導入したのが、同じく日本BDのOTC医薬品向け大型タッチディスプレー「BD Rowa Vmotion デジタル・シェルフ」（以下、Vmotion）だ。Vmotionの導入は日本初の事例となる。

これがOTC医薬品向けタッチディスプレーのメリット

Vmotionはリアルな薬剤棚に代わるバーチャルソリューションとして期待されている。イイジマ薬局社長（有限会社飯島 代表取締役）の飯島裕也氏は、「きっかけは10年ほど前に、欧州の医療機器展示会で自動払い出し機とサイネージを目にしたこと。今後、この流れが加速すると考えた」と振り返る。

イイジマ薬局では、55インチディスプレーを合計4台導入した。活用に関する患者のメリットを、飯島氏は次のように説明する。

「上田市はかかりつけ薬局に来る人が圧倒的に多い。そのため、OTC医薬品を購入するにしてもドラッグストアのように決め打ちで買うのではなく、薬剤師に相談するケースがほとんど。我々はまず患者の症状を丁寧にヒアリングして、その情報を基に経過観察や受診勧奨などを判断する。その上でOTC医薬品で対応できる症状であれば勧めている。これまではカウンター後方の陳列棚にある箱を一つひとつ手に取って説明していた。だが、箱の裏に小さな文字で書かれている成分を口頭で説明しても理解は難しい。Vmotionであれば添付文書を使いながら、用法・用量、効能・効果、成分・分量、副作用の注意事項などを大画面で情報提供できる」

飯島氏はその場で、2つの画面を駆使して鎮痛剤の比較を例示してみせた。OTC医薬品の中では「ロキソニンS」が有名で、CMで知ったり、周囲の評判を聞いたりして指名買いに来る患者が多数いる。とはいえ、鎮痛剤にもいろんな種類がある。きちんと成分やリスクを説明し、似たタイプの鎮痛剤を並べて見せることで、患者はどちらが自分に合っているかを検討できる。

では薬剤師にとってのメリットはどうか。まずは物理的に薬剤箱を並べる必要がなくなり、こまめな掃除がなくなったことが大きい。地味なようだが、ホコリや箱の日焼けは常に気を配る必要があるだけに、日々の工数削減に効いてくる。また、OTC医薬品は第1類から3類までリスク別分類による陳列が義務付けられているが、これもバーチャルで写真を並べて完結するために容易になった。

ロボットシステムとの連動で在庫管理が可視化されたことも見逃せない。ドラッグストアの

Vmotionを使っての鎮痛剤の成分・分量の比較。
比べることで選択肢が広がる可能性が出てくる

陳列で分かるようにOTC医薬品はたくさん並べておくのが定石であり、その結果、在庫の適正化が難しくなり期限管理も把握しにくくなる。

「Vmaxはシステム任せで管理できる。導入後の棚卸しも劇的に楽になる。薬剤師の中には、移動距離が1㎞も減ったケースがあった。それだけ薬局内を歩いていたということ。これは明らかにデジタル化の恩恵だ」と飯島氏は語る。

デジタル化したところに、薬剤師の能力を組み合わせる

効率化によって空いた時間やリソースは、従来通りの手厚い対人業務やさらなるサービス向上に充てる。今後、Vmaxのオプションである「BD Rowa ピックアップターミナル」を設置し、営業時間外でも服薬指導済みの薬剤を受け取れるようにする計画だ。また、陳列棚を撤去して空いたスペースには新たに無菌調剤室を設け、より高度な調剤ができるよう

整備した。

その根本には、先に記したように〝地域のための薬局でありたい〟との強い意思がある。新型コロナの影響で薬局を訪問する患者が減少する中、イイジマ薬局では薬剤師が月平均100軒ほどの自宅訪問を実施している。「ご自宅を訪問して部屋の様子から得られる情報はたくさんある。モニター越しに相談しても細かいことまでは分からない。デジタル化による利便性追求とともに、薬剤師の能力を組み合わせることが重要だと考えている」（飯島氏）。

最後に、飯島氏は思いの丈をこう述べた。

「ここまで医薬分業が進む前は、我々のような薬局がほとんどだった。処方薬、OTC医薬品、衛生材料、医療雑貨が置かれ、まるでコンビニに薬が加わった親しみやすさがあり、皆さんが足を運んでくれた。それが今は処方薬は門前薬局、OTC医薬品はドラッグストアと明確に切り離されている。だが、当薬局のような形態を維持すれば、患者のファーストアクセスの場所になる。風邪を引いても、蜂に刺されても、指を切っても、処方箋をもらってもここに来れば何とかなる。絆創膏1つを買いに来た人にもファーストエイドの拠点として受診勧奨したり、健康相談に乗ったりすることができる。上田市以外の人は驚かれるかもしれないが、本来はそうあるべきだろう」

引き続き、デジタルの力も駆使しながら、薬局の本来の姿をとことん追求していく考えだ。

TOPIC 2

事例

薬局が持つ総合力を生かして健康づくり
攻めの姿勢でニーズを創出、行政からも頼られる存在に

薬局が「未病の改善を推し進める社会の〝ハブ〟」になるには、地域社会に必要とされ、かつ信頼される存在であることが欠かせない。広島市内などで17店舗（2021年4月現在）を展開するすずらん薬局は、これまで様々な工夫を重ね、より多くの生活者に対峙できるよう進化を遂げてきた。その歩みを見ていこう。

ここにすずらん薬局グループがまとめた1冊の本がある。「栄養士が考えたおすすめ一品料理」と題した料理レシピ集で、2016年12月の発刊だ。

すずらん薬局1号店のオープンは1991年6月。スタート時は広島市内繁華街のビルの4階に位置し、同じビル内にある2つの診療所の処方箋を主に受けていた。特定の医療機関の処方箋に対応する、いわゆるマンツーマン型薬局のスタイルだ。だからといって、同店は単に〝医師が処方した薬を患者に渡す場所〟にとどまらなかった。当初から、薬局で管理栄養士や栄養士の有資格者を採用し、患者サービスの一環として、無料で栄養相談を行っていたのだ。

今でこそ地域住民の健康サポートなどを目的に栄養士を採用して栄養相談に取り組む薬局は増えつつあるが、30年前はほぼ皆無に近かったといっていい。さらに同店では、薬剤師と栄養士がタッグを組んで、健康教室も開催していた。

1996年からは、健康情報冊子「すずらん食通信」を毎月発行。今に至るまで続く。創刊20周年を記念して、その食通信に掲載してきたレシピをまとめたのが、冒頭紹介した料理集だ。

実践してきた「すべての人にやさしい薬局」

「開業当初から〝健康と福祉の情報ステーション〟を目指してきた」。こう話すのは、すずらん薬局グループの創設者で現在会長を務める古屋憲次氏。健康教室の場などでは、一家に一軒、かかりつけの薬局を持つ必要性についても説いた。

1号店は2000年には近くの1階店舗に移転。これを機に、近隣の医療機関に積極的に足を運んで、分業した場合のメリットを伝えたり、薬局内で栄養相談などを実施していることをアピールしたりした。その甲斐あって、処方箋の応需先も確実に増加した。

すずらん薬局の古屋憲次氏
（写真：橋本 正弘）

「すべての人にやさしい薬局でありたい。」という経営理念を掲げるすずらん薬局は、ほかにも多くのことに取り組んだ。来局する様々な患者に臨機応変に対応できるよう、筆談や手話の活用、音声読み取り装置を使った情報提供、点字・外国語に対応した薬袋の作成といった機能を整備。地域への情報発信と相談機能は年々ブラッシュアップし、充実させた。

「すべての人」には在宅患者も含まれる。4店舗目として開設した大手町店には無菌調剤室を設置し、2005年から本格的に在宅医療に参入した。以前より医師の往診などに同行するケースがあり、在宅ホスピスなどの場面で無菌調剤を必要とする患者がいることは分かっていた。とはいえ、設備投資が大きいのも事実。需要がどこまであるか悩みつつも、「薬の専門家である薬剤師が支えることで家に帰れる患者が増える」との信念で設置にこぎ着けた。

医療者や患者・家族から頼まれたら、難しい症例であっても断らずにやり切る姿勢も貫いた。病状の進行に伴う医療用麻薬（オピオイド鎮痛薬）の増量や適量調整、夜間休日の緊急対応などが必要になったが、医師や看護師と緻密に連携しながら取り組んだ。そのうち、麻薬の扱いに慣れていない医師などから相談を寄せられるようになり、処方提案する機会も増えた。

古屋氏の印象に強く残っているのは、腸の神経節細胞が生まれつき無いヒルシュスプルング病を患う乳児への対応。詳しい説明は省くが、この症例への工夫が数年後、診療報酬の改定内容を決める中央社会保険医療協議会（厚生労働大臣の諮問機関）の審議資料に取り上げられ、

コミュニティルームで開催した認知症予防運動教室（写真提供：すずらん薬局）

２０１４年度に加算が新設された。すずらん薬局の取り組みが好事例として評価された格好だ。「加算の新設に貢献できたことは意義深い」と古屋氏は振り返る。

様々な機会を生かしコミュニティ活動を推進

すべての人にやさしい取り組みは、開業当初から力を入れてきた健康や栄養相談の面でもより進んだ。在宅医療への参画を通じて、医師をはじめ訪問看護師、ケアマネジャー、ヘルパー、行政関係者など多職種との信頼関係が構築されたこともあって、すずらん薬局の薬剤師や栄養士には地域での健康教室などの講師依頼が集まり、基本的にどれも断らず受けてきた。

自施設での活動も充実させ、一部の店舗には地域のためのコミュニティルームを開設。料理教室や認知症予防教室、鍼灸整骨院とコラボレーションした体操教室などを開き、健康づくりを明るく楽しい雰囲気の中で行えるようにした。イベント開催のない日は、サークル活動に使ってもらうなど、コミュニティルームが地域サロン的な空間にもなっている。

こうして地域住民との距離を縮めるにつれ、「疾病の予防や重症化防止といったものに薬局が積極的に関わっていくことの重要性を感じた」と古屋氏。一方で、地域でその必要性をしっかり理解してもらうには、薬局の貢献度合いを目に見える形で示すことが欠かせないと考えた。健康づくりを証明する作業だ。そんな折、思わぬ機会が舞い込んだ。広島県安芸高田市にあるすずらん薬局高宮店が、２０１５年から市の糖尿病予防事業を受託することになったのだ。

行政と連携した予防事業に参画、その先に見据えた独自戦略

糖尿病予防事業の狙いは、糖尿病リスクの高い人たちに糖尿病の恐ろしさを知ってもらい、予防意識を高め、生活習慣を改善してもらうことにある。結果的に医療費も抑える。

事業の具体的な方法としては、特定健診結果とレセプトデータを基に抽出した対象者に、安芸高田市の保健師・管理栄養士・外部の運動トレーナーに加え、すずらん薬局の薬剤師と管理栄養士が複数回介入し、以後、3年間にわたり糖尿病発症の有無を確認する。

２０１５年度の同事業では、17人が参加し、その70％近くが「間食が減った」、90％以上が

「運動する量が増えた」など行動変容につながったことが確認できた。血糖コントロールの状態を反映するHbA1cが6・5%以上の糖尿病発症者はおらず、他の血液検査結果も改善。一方、非参加者では、63人中2人が糖尿病を発症していた。この結果を見る限り個別指導・フォローアップが奏功したと考えられる。

その後、すずらん薬局高宮店では、安芸高田市から巡回健康教室事業を受託。グループ全体で自治体との連携は広島市とも進んでいる。

こうした市の保健事業を請け負った場合、費用は自治体から支払われる。もっとも、現状だけを見ている古屋氏ではない。「医療費抑制につながるのなら、健康保険組合などが同様の事業の実施を望むケースが考えられる。したがって、この先、企業の健保と連携して組合員に対する予防事業をわれわれが請け負う。また、セルフメディケーションへの意識の高さから自身の健康維持・増進のためにお金を払ってでも受けたいと思う人が出てくるかもしれず、個人に対して有料で指導するプランなども検討していきたい」。将来を見据え、意欲的だ。自費に値するサービスを提供できる自負の表れとみていいのかもしれない。

「いずれにせよ未病・予防、重症化予防、介護予防、在宅支援まで、人のライフステージに応じたサービスを切れ目なく提供できるのが薬局の強み」と古屋氏。モットーとする攻めの姿勢で、新しいことに挑戦し続ける考えだ。

TOPIC
3

事例

医大敷地に薬局とジム、三者の空間が町を変える

ウェルベース矢巾が目指す「健康」を核にした街づくり

岩手医科大学附属病院の敷地に開設された調剤薬局とフィットネスジムが同居する「ウェルベース矢巾」。地域住民の健康増進を図ろうという岩手県矢巾町の取り組みだ。どんな歩みをたどり、この先、目指すところはどこにあるのか。事業を中心となって進めてきた矢巾町企画財政課未来戦略室課長兼室長の吉岡律司氏ら関係者に話を聞いた。

矢巾町は、北上盆地に広がる広大な平地、岩手県盛岡市の南に位置する。その町の中心部に2019年に移転したのが岩手医科大学附属病院だ。

盛岡市のベッドタウンである同町はコンパクトシティを掲げ、町の方針の第一に「ウェルネス」を打ち出してきた。人口は2万7264人(2018年)。2015年をピークに緩やかに減少している。近年は15歳未満の年少人口割合の減少と65歳以上の高齢者人口割合の増加が顕著で、2010年に19・7%だった高齢化率は、2019年には26・2%と急速に増加した。そんな中、岩手医大病院の移転は、少子高齢化を受け医療や健康を意識して矢巾町が進めてき

た街づくりのフックとなった。

「プールがないとだめだ」の逆を行く

2016年に、町の水道局から企画財政課へと異動してきた吉岡氏が取り組んだのは、未来から逆算して町の取り組むべき施策を策定することだった。「水道局は、上下水道の投資をし、やった分だけ結果が出る。老朽化すれば、水道料金も上げなければいけない。町も人口減少が進むと、税金を2倍にしなければならない。行政も投資による効果をより意識していく必要がある」。

街づくりの中心に据えたのが、ヘルスケアの強化だった。2060年の姿を見据え、それを実現するために今何をすべきか、「フューチャーデザイン」や「バックキャスティング」と呼ばれる考え方の下、「健康でハッピーに生活できる町」こそが、今後の発展に不可欠との結論に達した。

町は、移転計画が進んでいた岩手医大病院を大きな契機にウェルネスタウンの実現を目指そうと考えた。その中で浮かび上がったのが、運動習慣をつくる仕組みづくりだった。

2017年夏、病院の移転に合わせフィットネス施設を開設する案が持ち上がった。視察に訪れた大手事業者からは「プールがないとだめだ」とのつれない返事ばかり。だが、「我々が目指すのは、本当に運動をして健康になってもらうことをサポートする、押しつけではない仕組み」という吉岡氏の信念の下、「プール」に象徴される施設に頼らないフィットネスとすることに決めた。「運動できる場所は、ここなら、町中にある。施設は自分の健康をつくるための拠点として機能してくれさえすればよいと考えた」と吉岡氏は振り返る。そうした思いから作られたのが「メディカルフィットネス ウェルベース矢巾」。文字通り、ウェルネスの基地になるもので、矢巾町に関わるすべての人に本当の健康を届けるための「健康発信基地」と位置づけた。

産学官連携で異色の「健康づくり」

2020年2月25日、矢巾町と岩手医大のほか、附属病院敷地内に「岩手医大前薬局」を設置する日本調剤、健康機器のタニタヘルスリンク、フィットネス機器のテクノジムジャパン、施設管理のドリームゲートが、ウェルベース矢巾を健康づくりの拠点とし、医療費や介護費用の増加抑制を目指し、「矢巾町健康増進施策事業の連携・協力に関する包括協定」に調印した。産官学によって地域の健康を底上げする異色の事業になる。

岩手医科大学付属病院の敷地内に開設された
「ウェルベース矢巾」（写真：井上 健、以下同）

ウェルベース矢巾は同年3月1日にプレオープン、4月15日にグランドオープンを迎えた。日本調剤の薬局と同じ1階にある。中に入ると、トレーニングのための機械やヨガなどができる部屋が設けられているが、サイズは大きくはない。施設はあくまで拠点であり、運動の場はこの施設に縛られないためだ。

ウェルベース矢巾が取り組んだことの1つが「青空ヨガ」。施設の外で、ヨガをするもので、参加者を募って、みんなでヨガをした。これはウェルベース矢巾の示す、フィットネス事業の将来をある意味で象徴するものだ。

ウェルベース矢巾が施設に頼らないことを言い換えれば、ハードウエアよりもソフトウエアとしての機能に注目しているということになるだろう。個人ごとに、データに基づいて指導を行える仕組みを整えている。設置しているフィットネスマシンは、運動回数や消費カロリーなどトレーニングを見える化。また、事業に参加するタニタヘルスリンクの体組成計を設置しており、体のデータを基にし

「健康プラザコスモス館」の1階にあるウェルベース矢巾のトレーニングルーム

た運動指導ができるようにしている。

さらに、柔道整復師や元救急隊員などが運動指導に当たり、医療連携によって、医師のアドバイスを受けることも可能だ。こうしたソフトウエアの充実で、人々の健康づくりへのインセンティブをつくり出しているのがポイントとなる。

大きく変わる薬局の常識

事業に参加する日本調剤は、通院患者やジムに通う人々に対し、薬やサプリメントの相談に乗ったり、常駐する管理栄養士らが栄養学的な面からのサポートを行う。薬局として、単に医療機関からの処方箋に応じて薬を出すだけの場を超えた取り組みだ。これにより、そもそも病気だから薬局に行くという常識が変わるとともに、健康なときから関わることで、町民がいざ病気になって薬局に行ったときのサポート体制もこれまでとはだいぶ変わって手厚くなることが予想される。

将来的には、ウェルベース矢巾での運動や栄養、体組成などのデータや、病院に蓄積された検査データ、町の健診データに加え、薬局の薬歴データなどとの連携・統合や、それらデータを匿名化した上でのエビデンスづくりなど研究への活用も想定される。「矢巾町民の健康に関わるデータが蓄積していけば、町民へのサービスの形も変わってくるはず」と吉岡氏。「例えば、タクシー会社も、通院の予測が可能になり、タクシーの配備台数を決める判断材料を得られる。ウエアラブル端末を町民に利用してもらうことで、発病を予測して、通院を促す取り組みもできる。大学の研究面でも、論文の題材が町から生まれてくる可能性もある」と語る。

今回の産官学のプロジェクトでは、町が健康施設を造って、その運営を単純に民間委託しているわけではない。町は参加者の一部であり、企業や大学が健康課題の解決を進めながら、事業としても自走するように計画している。ウェルベース矢巾の運営を任されているドリームゲート代表の村上勇氏によれば、事業は3年間、町の支援を受けた後、自立して収益を得ながら運営する見通しだという。メディカルツーリズムならぬ、「ウェルネスツーリズム」「ヘルスツーリズム」といった、健康づくりと観光、旅行を組み合わせることなどを企図する。

医療機関や健康施設を中心にして新しい産業づくりにまでつなげようとしている矢巾の取り組みは、これから未曾有の超高齢社会に突入する日本の町づくりの手本となりそうだ。

Beyond Pharmacy KEY WORD

健康サポート薬局

2016年に制度化されるも低い認知度

健康サポート薬局とは、「かかりつけ薬剤師・薬局」としての基本的な機能を備えた上で、地域住民の健康づくりを積極的に支援する「健康サポート機能」を持つ薬局のこと。2016年2月に創設された。薬に関することはもとより、介護や食事・栄養摂取、生活習慣など健康にまつわる様々な相談に応じる。厚生労働大臣が定める基準をクリアし、都道府県知事に届け出た薬局だけが、健康サポート薬局と表示できる。

届出の開始は2016年10月。以来4年半が経過するが、全国に約6万店舗ある薬局のうち、健康サポート薬局は2020年9月末時点で2247店にとどまる。数が伸び悩む要因としては、ハードルの高さを挙げる声が少なくない。健康サポート薬局を名乗るには、様々な取り組みや実績が必要で、例えば実務経験が5年以上あり所定の研修を修了した薬剤師の常駐、24時間対応、在宅医療の実践、プライバシーに配慮した相談窓口の設置などが求められる。また、OTC医薬品や衛生材料・介護用品もある程度の品ぞろえが欠かせない。それでいて、現在のところ、特別な調剤報酬は用意されていない。届出が低調な背景には、そうした直接的な経済的リターンのなさも関連しているとみられる。

全国に2200店あまりしかないこともあり、健康サポート薬局に対する世間の認知度は著しく低い。内閣府が2020年10月に郵送で実施した「薬局の利用に関する世論調査」では、健康サポート薬局に関し、「よく知っていた」(1・5%)と「言葉だけは知っていた」(6・5%)で合わせても8%にとどまり、「知らなかった」が91・4%を占めた。

改正薬機法

2019年11月27日に成立、中心は薬局・薬剤師の機能の見直し

改正薬機法とは、「医薬品、医療機器等の品質、有効性及び安全性の確保等に関する法律」、いわゆる医薬品医療機器等法(薬機法)の改正法で、2019年11月27日に成立、翌年9月より段階的に施行された。薬機法はもともと「薬事法」と呼ばれていた法律の改正に伴い改称され、2014年11月に施行。その際、「5年をめどに規定を検討し、その結果に基づいて必要な措置を講じる」とされていた。

改正薬機法の大きなポイントの1つは、薬局・薬剤師の機能を見直し、より職能を発揮できるようにしたこと。従来、薬剤師は患者の来局時(調剤時)に薬の使用状況の把握や服薬指導

を行ってきた。これに対して、調剤時に限らず、服薬後のフォローアップを含め、必要に応じて患者を指導することを薬剤師に義務付けたのだ。また、薬局の機能を強化する観点から、がんなどの高度な薬学管理を行う「専門医療機関連携薬局」と、地域で医療機関などと連携する「地域連携薬局」の機能を都道府県知事が認定する制度が設けられた。

さらに、オンライン服薬指導も可能になった。従来は対面服薬指導が義務付けられており、例外的に国家戦略特区のみでオンライン服薬指導が行われていた。改正後は、かかりつけ薬剤師が行うなど一定のルールを満たせば、テレビ電話などによるオンライン化が可能になる。

このほか、先駆け審査指定制度と条件付き早期承認制度の法制化、虚偽・誇大広告によって医薬品を販売した企業に課徴金を科す制度の創設など、医薬品・医療機器をより安全に、迅速・効率的に提供することを柱とした制度の見直しも行われた。

タスク・シフト／シェア

医師の働き方改革の切り札になるか

タスク・シフトとは、医師の仕事の一部を看護師など他の職種に任せること。タスク・シェアとは、医師の仕事を複数の職種で分け合うことを指す。日本全体で「働き方改革」が推進される中、医師の労働時間短縮策の1つとして注目されている。

政府が働き方改革を声高に叫び始めたのは2016年。2018年6月に「働き方改革関連法」が成立し、一般労働者に残業時間の上限が設けられた。大企業は2019年度、中小企業は2020年度から適用されたが、医師は5年間猶予され、2024年度からの適用となった。

その間、医師の働き方をどうするか、関係者による検討が進んだ。2017年4月には厚生労働省の「新たな医療の在り方を踏まえた医師・看護師等の働き方ビジョン検討会」が報告書をまとめ、医師と他の医療職間で行う「タスク・シフティング（業務の移管）、タスク・シェアリング（業務の共同化）」を初めて提言。続いて設置された「医師の働き方改革推進に関する検討会」でも、タスク・シェアやタスク・シフトを進めるべきとの結論が得られた。そこで同省は2019年10月、「医師の働き方改革を進めるためのタスク・シフト／シェアの推進に関する検討会」を組織し、タスク・シフト／シェアが可能な医療行為を洗い出した。結果、その数は約300に上った。タスク・シェアおよびタスク・シフトが行われる他職種として想定されているのは、看護師、薬剤師、診療放射線技師、臨床検査技師、医師事務作業補助者など。このうち看護師については2015年に「特定行為に係る看護師の研修制度」が創設されており、実質的にタスク・シェアおよびタスク・シフトが促されてきた経緯がある。研修を受けた看護師は、人工呼吸器の離脱など38行為を、医師の指示の下で、手順書に従って行える。

タスク・シェアおよびタスク・シフトをより促す観点では、看護師と薬剤師の活用が大きなカギを握る。看護師については、日本看護協会が、米国などに倣って医師の指示がなくても一定の医行為を実施できる「ナースプラクティショナー」の制度化に関する検討を要望している。だが、日本医師会は慎重な姿勢を崩していない。

一方、薬剤師を巡っては、医師に代わって薬物治療の中心を担うことへの検討が進みつつある。具体的な業務としては、医師との協働によるプロトコールに基づいた投薬の実施、多剤併用薬に対する処方提案、耐性菌が問題となる抗菌薬の治療コントロールなどが挙がる。

人生会議

命の終わりについての話し合い

人生会議とは、将来の意思決定能力の低下に備え、自らが受けたい医療・療養について患者・家族と医療・介護従事者があらかじめ話し合うプロセスのこと。アドバンスケアプランニング（ACP）の愛称として、厚生労働省が2018年11月に決定した。

国内でACPが提唱されたきっかけは、厚労省が2007年に発した「人生の最終段階における医療の決定プロセスのガイドライン」で、患者本人の意志を最大限尊重する旨が明記されたことによる。その後、海外での研究などを参考にしながら議論が行われてきた。ACPの概念を認知・普及させるため、同省は「人生会議」を愛称として啓発に取り組んでいる。

話し合いの主体は患者本人であり、家族を交えて、医療従事者のサポートの上で行われる。患者が望めば、信頼できる友人なども参加することが望ましいとされる。具体的に話し合う内容は、患者の終末期の意向や目標、価値観や気がかり、病状や予後の理解、治療・療養に関する意向あるいは選択、治療・療養の提供体制などが含まれる。

それらは患者の同意の下に記述され、健康状態や生活状況が変わるたびに見直すことが大切とされる。見直しが必要な理由は、患者の価値観の変化や医療従事者からの情報などによって受けたい医療やケアが変わる可能性があるからだ。こうした記録は、治療・療養に関わる人々の間で共有することが大切である。また、患者が自ら意思決定できなくなったときに備えて、患者になり代わって判断を委ねられる信用できる人を選定することも重要とされる。

電子処方箋

普及には時間も将来的に薬局の在り方が大きく変わる可能性

電子処方箋とは、紙の処方箋を電子化したもの。医師が専用サーバーに処方箋の情報を登録し、薬局薬剤師が患者の本人確認をした上で、その処方情報に基づき、調剤や服薬指導を行う。医療機関は処方箋の印刷に要するコストがかからず、薬局は処方情報を入力する業務を省力化できたり、誤入力を防止できたりする。また、処方箋の偽造や再利用も防げる。

政府は当初、電子処方箋について2023年度の運用開始を見込んでいたが、2020年7月に閣議決定した「骨太の方針2020」で、2022年夏に前倒しすることを表明した。電子処方箋発行に向けたシステム整備やコスト負担のめどが立ったためだ。2021年3月よりマイナンバーカードを健康保険証として使う「オンライン資格確認等システム」の試行運用がスタートしており、電子処方箋は同システムを基盤として活用する。

ただ、肝心のオンライン資格確認等システムは2021年3月下旬に開始予定だったものの、安定性確保やデータの正確性担保の点で問題が見つかり、半年程度の延期となった。影響は電子処方箋にも及ぶとみられ、政府目標の「2022年夏」が遅れる可能性がある。

ともあれ、この先、電子処方箋の普及が進めば、薬局の業務の在り方が大きく変わることが予想される。電子処方箋では紙の受け渡しが不要なため、患者がわざわざ薬局に足を運ばなくなるケースも増加。患者は今までのように処方箋を手に医療機関を出てその足で最も近い薬局に行くのではなく、スマホアプリなどからお気に入りの薬局にデータを送信して、あとは、オンラインで服薬指導を受けて薬の配送を待つ、といったスタイルが進むことなどが考えられる。

第5章

未来のモビリティを考える
〜Beyond Mobility〜

「空間×ヘルスケア 2030」の1つとして
日経BP 総合研究所／Beyond Healthが描いている
未来のモビリティ「Beyond Mobility」。
その未来を読み解く座談会（DISCUSSION）・事例（TOPIC）・
キーワード（KEYWORD）を紹介していく。

DISCUSSION

座談会

完全自動運転、空飛ぶクルマも視野に未来のモビリティとヘルスケアを考える

ポイントは「車内空間の質」と「移動の自由」

住宅、ワークプレイス、薬局……モビリティは街のあらゆる空間をつないでいく。議論の緒についたばかりの「Beyond Mobility」では、日経BP総合研究所のメンバーを中心に、「空間×ヘルスケア」の観点から未来のモビリティの役割について論点を整理した（座談会参加者は144ページ参照）。

高橋　「空間×ヘルスケア2030」では、2030年を目標に、あらゆる空間を「未病の改善」に資する空間にしていくというコンセプトを掲げています。つまり、治療のための空間である病院だけでなく、あらゆる空間を検討対象としているわけです。

とはいえ、モビリティの「場所と場所をつなぐ」という役割を考えると、まずは、病院と病院以外の場を結ぶモビリティについて、その未来像を整理しておく必要があるでしょう。

小谷　まず、医療に関わる「移動」と「車内空間」がテクノロジーによって大きく変わっていきます。フィリップス・ジャパンがMONET Technologies（ソフトバンクとトヨタ自動車による共同出資会社）と開発したヘルスケアモビリティのように、〝動く診察室〟の開発を進める企業も出

2030年に実現しているべき「モビリティ」空間をイメージしてイラスト化したBeyond Mobility（未来のモビリティ）。このイラストに盛り込んだ主な論点について座談会を実施した。（イラストレーション：©kucci,2021）

「空間の質」が問われる完全自動運転車の室内

てきました（150ページ）。心電図モニターや血圧計を搭載し、看護師が患者と同乗して医師と遠隔でつながる仕組みを備えています。

鶴原　病院機能が外に出ていくだけでなく、病院への移動方法も変わります。例えば、過疎地域での病院への移動が、自動運転車を使ったライドシェアになることが考えられます。免許を返納して運転ができなくなった高齢者の送迎を、いつも家族ができればよいのかもしれませんが、そうはいかない場合も多いでしょう。過疎地域ではタクシーの稼働台数も限られています。そこで、自動運転ライドシェアの活用が有力な選択肢となるわけです。

このときに、排ガスの出ないＥＶ（電気自動車）の特徴を生かし、家の出入り口に横付けできるようにすれば、動きの取れない高齢者を車に乗せる仕事も楽になります。住空間のつくり方も変わってくるかもしれません。

小谷　さらに、病院への移動中の車内で心電図などがある程度計測できたり、遠隔通信やＡＩで簡単な問診ができたりするようになるでしょう。５Ｇの強力な通信環境が整備されることで、移動中のオンライン診療は現実味を帯びてきます。

また、カメラによる非接触でのバイタルデータ計測、あるいは顔色から体調を判断する研究も実際に行われています。自動車にそうしたテクノロジーが装備されれば、病院への移動中に限らず、日常的に車内で健康状態のモニタリングができます。

高橋　加えて、完全自動運転が実現すると運転する人間が乗ら

日経BP 総合研究所
戦略企画部長
高橋博樹

日経BP 総合研究所
上席研究員、
Beyond Health編集長
小谷卓也
（オンライン参加）

日経BP 総合研究所
プロデューサー、
新・公民連携最前線
編集長
黒田隆明

オートインサイト代表、
日経BP 総合研究所
未来ラボ客員研究員
鶴原吉郎氏

なくても済むため、自動車内の空間の質が劇的に変わります。

運転に気を使わないでよいわけですから、シートにゆったり座ってヒーリングが受けられるような仕掛けも考えられます。例えば、ホログラムとハプティクス（触覚技術）を使って仮想的にペットを出現させて、実際に動物を抱っこしているかのような癒やしの空間を提供することも考えられます。2030年頃には、そんな自動運転車の車内空間が実現しているかもしれません。

鶴原　いわゆるレベル4（特定条件下の完全自動運転）は、自家用車では2025年ぐらいに実現します。ホンダは、高速道路限定ですが2025年に実現させたいと言っている。つまり、「A地点からB地点までの間は、人間は運転のことを忘れていいですよ」ということになります。

その次の段階として、2025年以降、運転手のいないライドシェアのようなサービスが本格的な普及期を迎えるとみられています。そうなると、その人が登録している好みや行動履歴のデータをクラウドから呼び出して、その人に最適化した心地よい車内空間を、その人の乗車時だけ提供するような、個々のユーザーに合わせたサービスも登場するでしょう。

黒田　好きな音楽や動画、行き先などを自動でレコメンドするイメージですね。AIスピーカーによる音声入力も装備されているでしょう。新しい車内空間が誕生すれば、そこには当然、新しいサービスが生み出されるということになりますね。

未来のモビリティで高齢者の「移動の自由」を担保

高橋　完全自動運転が実現すると、車内空間が大きく変わるだけでなく、車を運転できない人の「移動の自由」も高まります。特に、これから超高齢化社会を迎える日本では、高齢者の移動の自由を担保することは、大きな社会課題の解決につながります。

高齢者がマジョリティになるにつれ、多くの人たちにとって「移動をどうするか」が自分事になってきました。これは過疎地域に限らず、郊外や都市部の住宅街も同様です。

日本ではこれまで、移動権（人が自由に移動する権利）にあまり注意が払われてきませんでしたが、高齢者福祉に加えて、「空間×ヘルスケア」という視点からも、これからのモビリティを考えるときには「移動の自由」が重要なキーワードになってくると考えられます。

鶴原　確かに、高齢者の移動の自由を担保しながら、周りでサポートする人たちの負担をいかに減らすかは大きなテーマです。本当は外でゲートボールや買い物を楽しみたいけれど、免許を返納したので家族に運転を頼まなくてはならない。でも気が引けて頼めない——そんなケースは日本中の至る所で起きています。

黒田　コロナ禍の社会では、移動が制限されることによる新たな課題も浮き彫りになってきました。ずっと家の中にいれば新型コロナの感染リスクは確かに下がります。しかし、Smart Wellness City（スマートウエルネス シティ）首長研究会（会長：久住時男・新潟県見附市長）は、外出自粛が続くことによって、高齢者に限らず全世代に心理的抑うつ傾向が見られるという調査結果を発表しています。

もちろん、十分な感染防止対策を講じることが前提ですが、高齢者に限らず、すべての人の外出や移動の意欲を高めることが人々の健康維持の基盤となる側面もあるといえそうです。

鶴原　各社が開発にしのぎを削っている共通EVプラットフォームとライドシェアの組み合わせによって、移動の動機付けにつなげることができるかもしれません。同じプラットフォームでも、目的によって上に載せるボディを変化させられるので、今日はカラオケ用、今日はキャンプ用といった使い分けができる。そんな未来になっていくとすごくいいなと思います。

空飛ぶクルマの実現可能性は？

黒田　自由な移動を担保するという観点では、空飛ぶクルマの活用も有望視されています。

鶴原　話題性は高いのですが、2030年時点では、自由にどこでも空を飛べるということではなく、A地点とB地点を結ぶ定期航路のような運行が現実的ではないでしょうか。

もう1つ、早期に普及する分野としてはエンタテインメント分野での活用が考えられます。遊園地のような限定された空間であれば飛行させやすいですし、何億円も掛けて遊園地に設営するアトラクションよりも、より低コストで刺激的な体験を提供できるはずです。

高橋　「Beyond Mobility」のイラストには、観光も絡めた漁業振興というアイデアを落とし込んでいます。漁業×観光の視点でドローンを活用するサービスが出てきたら面白い。例えば沖合いで漁師が釣った魚をドローンに載せて自宅に直接運び込んだりできたら楽しいですよね。「CSF（Community Supported Fishery：地域支援型漁業＝特定の漁師と個人が年間契約などを行い、定期的に届く新鮮な魚介類を前払いで購入すること。漁師の収入の安定に寄与する）」の進化形が成立するかもしれません。ほかにも、養殖の魚に観光客がドローンで給餌体験できるサービスなども描いてみました。

小谷　ヘルスケアの切り口では、過疎地域へのドローンによる医薬品配送もスコープに入れています。交通手段の乏しい過疎地域で実証を積み重ねて信頼性が確認されれば、都市部への移行も進んでいくでしょう。

高橋　「Beyond Mobility」の議論の中では、長距離移動に加え、1人乗りの空飛ぶ超小型車によるラストワンマイルの移動も想定しています。実現はもう少し先かもしれませんが、それでも先行した未来を描いたのはなぜかというと、ワクワク感とテクノロジーを融合させた〝絵〟を見てもらうことで、思考の切り替えを促したいと考えたからです。ビジョンが広く共有されれば、空飛ぶクルマの普及も予想より早まる可能性が高まるでしょう。

これからの都市の中で、モビリティはどうあるべきか

黒田　ウォーカブルシティ（歩きやすい街）や、緑豊かな都市を構想するエリアが増えています。地球環境への配慮や健康増進という文脈は前提としてありますが、要するに「集まって心地よい健康的な空間」を人々が都市に求めているということだと思います。

高橋　「Beyond Workplace」の議論（72ページ）では、コロナ禍が長引いてテレワークが普及していく中で、人が集い、出会う場としてのワークプレイスの重要性を再確認しました。

　都市においても、人々が集まる場、出会う場としてのデザインを考えた結果、「歩きやすい」「緑豊か」といったコンセプトが支持されるようになったのでしょう。そんな都市空間の中で、モビリティはどのような存在であるべきなのか――。今回の議論でテーマとなった「移動の自由の担保」や「車内空間の質の向上」は大前提となりますが、そのうえで今後、都市における新しいモビリティ像について、具体的な検討を進めていきたいですね。

TOPIC
1

事例

フィリップスが伊那市で実証を開始

いざ出発！ヘルスケアモビリティ

次世代の移動サービスとして注目されているMaaS《マース》(Mobility as a Service)。ヘルスケア領域におけるMaaS活用に積極的に取り組んでいる1社が、フィリップス・ジャパンだ。専用車両によってヘルスケアのサービスを受けられる拠点を移動可能にして、医師不足や通院が難しい人のケアといった課題の解決を狙う。その1つとして、伊那市（長野県）での実証をスタートさせた。

フィリップス・ジャパンがモビリティとの連携で目指す新たなヘルスケアサービスとは、「動的・最適配置」のサービスである。これまで「画一化・固定化」されていた姿からの脱皮を展望している。

具体的には、「サービスの移動」と「人の移動」の両面から、動的・最適配置の実現をもくろむ。車両をクリニック化したり、薬剤師を配置したり、あるいはAED（自動体外式除細動器）を設置したりして、オンデマンドで必要な場所にサービスを届けようというコンセプトを発表している。「これまで単独で存在していたもの同士がつながる。モビリティの活用によって、

実証で活用する実車（写真：上野 英和）

単にデジタルやバーチャルのつながりだけではなく、アナログのFace to Faceのつながりを付加することができる」。同社 代表取締役社長の堤浩幸氏はこう強調する。

その第1弾として、実際の専用車両を使った実証事業を伊那市で開始した。2019年12月には伊那市役所で「次世代ヘルスケアモビリティサービスに係る連携協定締結式」が実施された。フィリップス・ジャパンの堤氏と伊那市長の白鳥孝氏が出席。連携協定書への署名を交わした。

伊那市長の白鳥氏は、「伊那市の面積は広く、往診にも時間がかかる。その課題解決の手段として期待している」と語る。市内の複数のクリニックなどの協力を得ており、「市医師会からの期待も寄せられている」（同氏）とした。

実車を公開、医師・看護師・患者の3者を想定したデモ

両者はこの実証事業において、オンライン診療を中心と

看護師と患者が車に乗り込み、医師とテレビ電話で結んだ様子の実演
（写真：上野 英和）

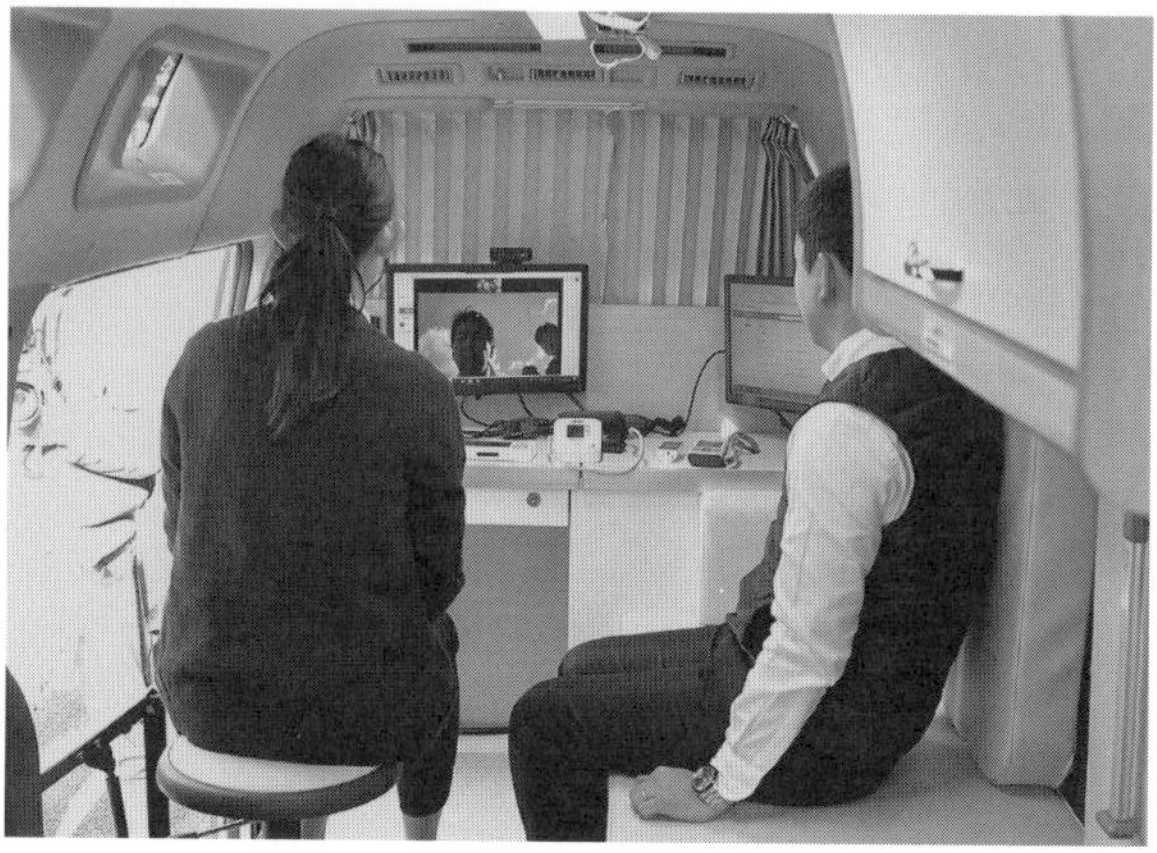

したヘルスケアモビリティの有効性を証明していく考え。具体的には、看護師などが車両で患者の自宅などを訪問し、車両内のテレビ電話により医師が病院から患者を診察できるようにする。看護師は、医師の指示に従って患者の検査や必要な処置を行うことを想定している。

締結式では、医師・看護師・患者の3者を想定したデモンストレーションを実施。看護師と患者が専用車両に乗り込み、心電図モニターや血圧計など搭載機器での測定を実施。テレビ電話で遠隔地にいる医師とやり取りする様子を披露した。

5Gの有効活用も視野に入れている。フィリップス・ジャパンの堤氏は、「画像の送受信が円滑になるだけでなく、自動運転・自動運行・AIでの運行管理など、5Gによってインフラが変わることで生産性が大幅に向上する」と語る。

伊那市長の白鳥氏は「地方自治体の課題は共通している」と語る。今回の実証事業で得た知見は、国内のあらゆる自治体に展開していけると展望した。

TOPIC 2

事例

コロナ禍でも外出して健康維持、フィットネス×自動運転の実証

「けいはんなモデル」の検証を実施

大阪府、京都府、奈良県にまたがる京阪奈丘陵に位置する関西文化学術研究都市（けいはんな学研都市）の京都府精華町エリアにおいて、2021年2月に自動運転サービスの実証実験が行われた。実施者はWILLER（大阪市）、ST Engineering（シンガポール）、けいはんな（京都府精華町）、ピノス（京都府向日市）である。

実証実験では、コロナ禍でも安心して外出することができ、地域住民の健康増進と経済活性化を図る「けいはんなモデル」の検証を実施した。現在、在宅勤務や巣ごもりなどのコロナ禍による外出機会の減少により、運動不足やストレスの増加、地域経済の鈍化が問題視されている。このことを受けての取り組みだ。

WILLERは既に2020年12月、同じけいはんな学研都市で自動運転の技術実証実験を実施しており、安全性や運行計画の妥当性を検証している。今回は、この12月の実験結果を受けて、運行コストの明確化、受容性・利便性・事業性を評価する狙いで、高齢者や在宅勤務者に

健康プログラムや快適なテレワーク環境などを組み合わせた移動サービスを提供するもの。

具体的には、高齢者向けサービスとして「自動運転の車両に乗車し、プロのトレーナーによるフィットネスプログラムを受講する」、在宅勤務者向けサービスとして「自動運転の車両とシェアサイクルで移動し、プロのトレーナーによるフィットネスプログラムを受講、さらにホテルの一室でテレワークを体験」を提供した。

実験では、WILLERがサービス企画と自動運転バスの導入・運行、けいはんながテレワーク会場となるけいはんなプラザホテルの運営、ピノスが健康プログラムの開発・運営、フィットネスアプリの提供、モニター募集を担当した。

車両は、仏NAVYA社の電気自動車である「NAVYA ARMA」（定員14人）を使用。WILLERが運行全体の統括管理、実証内容の企画およびオペレーションを行い、ST Engineeringが自動運転の技術設計やナレッジの共有、ソフトバンクグループのBOLDLY（東京都千代田区）がセーフティオペレーターのトレーニング、3Dマッピング、およびルート設定などの技術を提供した。地元の交通事業者である奈良交通（奈良県奈良市）が安全面の検証で協力した。

同実験は京都府による「コロナ社会対応ビジネスモデル創造事業補助金」の「チャレンジプロジェクト」に採択されており、京都府は実施費用の一部を補助する（金額は非公表）。実験の舞台となる精華町は、モニターとなる住民の募集などで協力している。

TOPIC 3

事例

「人と会わないだけでこれだけ認知機能が低下するなんて」

コロナ禍の健康二次被害を防げ！ 自治体連携プロジェクト始動

新型コロナウイルス感染症（COVID-19）を受けた新たな生活様式を余儀なくされる中、健康二次被害が懸念されている。例えば、外出自粛の影響で日々の活動量が減少し、基礎疾患やメンタルヘルスが悪化してしまったり、認知機能が低下してしまったりする報告がされている。

筑波大学人間総合科学学術院教授の久野譜也氏によると、外出を自粛していた高齢者が、久しぶりにフィットネス施設に訪れた際、何をしに来たのか忘れてしまったり、徘徊してしまったりする事態が各地で起きているという。同氏の元には、「人と会わないだけでこれだけ認知機能が低下するなんて…」という相談も数多く寄せられているという。

こうした健康二次被害を予防するために、大阪府高石市と福岡県飯塚市、奈良県田原本町、鳥取県湯梨浜町の4自治体は、ソーシャル・インパクト・ボンド（SIB）を活用した「飛び地型自治体連携プロジェクト」を実施している。代表自治体である大阪府高石市の市長を務める阪口伸六氏は、「健康街づくりを長年共に進めてきた同志である自治体とともに、COVID-19

を正しく恐れた上での健康維持や健康増進を図りたい」と意気込む。

具体的には、4つの自治体が連携して「社会参加型健幸ポイント事業」を実施。合わせて1万4000人に参加してもらうことを目指す。プロジェクトを通じて、COVID-19のよる健康二次被害の予防に加えて、以前から課題視されていた社会保障費の急増が懸念される2040年問題の解決にもつなげたい考えだ。2025年に4つの自治体で11億8000万円の医療費・介護費の抑制を達成することを目指している。

「健幸ポイント」を付与

社会参加型健幸ポイント事業では、80〜90代の後期高齢者でも参加できる取り組みとして、タニタヘルスリンクが手掛ける「タニタ健康プログラム」を実施する。通信機能を搭載した体組成計や活動量計などを使って自分の状態を計測することと、管理栄養士や健康運動指導士などの専門職によるサービスを組み合わせたプログラムである。体の状態や活動量を見える化した上で、生活習慣の改善や定着をサポートする。

大阪府高石市と福岡県飯塚市、奈良県田原本町には、タニタヘルスリンクの個別健康づくりソリューションも導入する。同ソリューションでは、参加者の体力や身体活動量、体組成デー

2020年7月に開催された記者会見の様子。
（出所：大阪府高石市など）

タに合わせた筋力トレーニングや有酸素メニューを提示する。

歩数や体組成データの改善、健康行動の継続などのプロジェクト達成度に応じて「健幸ポイント」を付与する。健幸ポイントは、地元の商業施設で利用可能な商品券に交換できるため、参加者のモチベーションを維持する狙いだ。健幸ポイントを利用した健康街づくりへの取り組みは、これまでも行われてきており、大阪府高石市では健幸ポイントの導入後、「医療費が下がってきている」と阪口氏は説明する。

COVID-19の健康二次被害で最も怖いのは、「要介護や要支援の認定率が上がること」と奈良県 田原本町 町長の森章浩氏は言う。同市では高齢化率が30％を超えており、年々認定率が上がっている中、さらに認定率が上昇して医療費が増大することを懸念する。

さらに、外出や活動を過度に控えてストレスがたまり、免疫力が下がった状態でCOVID-19に罹患して重症化するという悪循環を防ぎたいと強調する。そのためにも、「COVID-19への感染防止策を適切に行い、正しく恐れた上で、Ｗｉｔｈ コロナの生活を楽しめる街を目指したい」と同氏は意気込む。

Beyond Mobility

KEY WORD

MaaS《マース》

クルマをヘルスケアの拠点にする動きも

MaaS《マース》とは、クルマやバス、電車などの交通手段を、単なる移動手段ではなく新しいサービスとして活用すること。Mobility as a Serviceの略。

これまでは自家用車以外の交通手段をICTでつなぐといった交通の最適化に向けた取り組みが目立っていた。ところが、ここにきてヘルスケア領域にもMaaSが活用され始めている。

フィリップス・ジャパンは、MaaSを活用し、専用車両によってヘルスケアのサービスを受けられる拠点を移動可能にする「ヘルスケアモビリティ」の実現を目指している。医師不足の地域や通院が難しい人への対策として打ち出したコンセプトである。第1弾として、2019年12月に長野県伊那市での実証事業を開始した。

さらに同社は、2020年1月に山梨県山梨市および公益財団法人山梨厚生会と共同でヘルスケアモビリティに関するプロジェクトの開始を発表。ホームケアに特化した検証を進めていくという。

横浜国立大学は2019年11月、ヘルスケアとモビリティを結びつけた新たな産業である

「ヘルスケアMaaS」を創出するための研究拠点を湘南ヘルスイノベーションパークに設置したと発表した。湘南ヘルスイノベーションパークは、武田薬品工業が湘南研究所を開放して設立された産学官連携の場である。今回の連携について、湘南ヘルスイノベーションパーク ジェネラルマネジャーの藤本利夫氏は、「横浜国立大学が多くの企業との連携で、移動の概念をどのように再定義して、医療と交通の在り方を変えていくのか楽しみにしている」と語っている。

空飛ぶクルマ

ヘルスケア領域では、救急医療での活用などが想定

空飛ぶクルマとは、中短距離での空の移動を可能とする、自動運転ができる電動の航空機のこと。主に垂直離着陸可能なものを指す。もっとも、技術開発の途上にあり、定義は明確ではない。今後、その枠を超えた機体が出てくる可能性も大いにある。

2020年1月、トヨタ自動車が空飛ぶクルマ開発で先行してきた米スタートアップのジョビー・アビエーションに3億9400万ドル（約430億円）を出資。同年12月にはジョビーが米配車大手ウーバーの空飛ぶクルマ開発部門を買収した。

この他、国内で注目を集めている1社が、2018年7月に設立されたスタートアップ企業のSkyDrive（スカイドライブ）だ。同社は、2023年に空飛ぶクルマのサービス開始を目指している。

空飛ぶクルマの実現は、「空の移動革命」とも言われ、交通や物流などに大きな変化をもたらす可能性がある。従来の航空機よりも生産コストを下げ、空の移動を身近にするからだ。交通インフラの整備が従来ほどでなくても山間地や離島などへのアクセスの問題を解消する可能性があるなど、社会課題の解決にも貢献するとみられる。

ヘルスケア領域では、救急医療での活用などが想定される。それを含めて新産業としての期待も高く、米モルガン・スタンレーは2040年代に世界市場規模が1兆5000億ドル（日本円で約160兆円）に及ぶと推測する。

課題として大きいのは、技術開発と環境整備の2つの側面だ。技術開発においては安全性や信頼性の確保のほか、自動飛行や運行管理システム、モーターなどの電動推進システムの開発など。一方の環境整備の面では、機体の安全性の基準、技能証明の基準、空域や運航、電波利用環境、離着陸場、運送や使用事業の制度などがある。

さらに、社会に対しても、機体や自動操縦の安全性、トラブル発生時の対策、落下物、騒音問題などどう対応していくかを検討する必要がある。

ドローン配送

処方薬配送の実証試験も始まる

ドローン配送とは、無人航空機である通称「ドローン」を使った物資の配送のこと。ヘルスケア領域でも注目が集まっている。例えば2020年7月には、旭川医科大学、ANAホールディングス、アインホールディングスなどが協力し、北海道でドローンを使った処方医薬品配送の実証試験が国内で初めて行われた。

最近では、新型コロナウイルス感染症の問題が収束しない中で、オンライン診療の活用への期待が高まっている。遠隔地から診療をした場合に、処方箋に基づいた医薬品を時間を置かずに自宅にいながら受け取る方法として、ドローン配送は配送時間の短縮や物流コストの削減などから注目される。

この他、緊急時医療活動訓練や、血液・医療資機材の搬送などへの活用も期待されている。ドクターヘリなどとの連携による物資や血液などの配送も想定される。

ドローン配送が注目される背景には、物流環境の大きな変化がある。医薬品に限らず、オンラインショッピングが当たり前になり、小口の荷物を頻繁に配送する状況が常態化している。

国土交通省の統計によると、1990年前後と比べると、2010年代以降は貨物1件当たりの貨物量は半減し、物流件数は1・8倍に拡大している。

貨物の変化に対して、物流分野を担う労働力不足が顕在化しており、運輸業や郵便業の7割近くで人手不足に陥っている。少子高齢化で補う人的資源がない中で、ドローンを使った無人での物流は窮状への有効策と見なされる。

遠隔健康医療相談

適切な受診行動や未病状態の改善、不安解消などに寄与

遠隔健康医療相談とは、医師または医師以外の者が情報通信機器を活用し、相談者に対して一般的な医学的情報の提供や助言などを行う遠隔医療サービスのこと。健康に不安を持つ相談者に対して、適切な受診行動や未病状態の改善、不安解消などに寄与すると期待される。今後はモビリティとの融合も想定される。

遠隔健康医療相談の定義は、厚生労働省が2018年3月に発布した「オンライン診療の適切な実施に関する指針」で明確に示された。2019年7月の一部改訂では、遠隔健康医療相談を医師が実施する場合と、医師以外が実施する場合に分けて定義された。「オンライン診療」

や「オンライン受診勧奨」などとは実施できる内容が異なる。

遠隔健康医療相談では、一般的な症状に対して可能性がある病名を挙げることは可能だ。ただし、相談者の個別の症状などを基に推察可能な病名を挙げることはできない。たとえ医師であっても、相談内容だけで「あなたは○○という病気の可能性があります」というような診断に相当するような医学的・具体的な判断はできない。あくまで、「一般的に○○という病気は、△△などの症状があります」といった回答にとどめることが必要になる。

移動権（交通権）

超高齢社会や新型コロナなどの状況変化で求められる新たな対策

移動権（交通権）とは、人が自由に移動する権利のこと。日本国憲法の第22条の「居住・移転および職業選択の自由」、第25条の「生存権」、第13条の「幸福追求権」などと関連した人権を集合した権利として定義されることがある。公共交通の利用を巡って関連訴訟が起こされてきた経緯もあり、交通権と呼ばれることも多い。

超高齢社会の到来で、公共交通手段のニーズが高まる中、経済の低成長もあり、地方を中心に交通網の機能が低下する状況も顕著になっている。自由な移動がかなわない人も現れ、移動権が脅かされる懸念は生じやすい状況にある。

さらに、直近では、新型コロナウイルス感染症の影響により、多くの人が移動を制限され、公共交通の利用も低下する状況の中で一層関心を集めやすい。

公共交通の利用およびバリアフリーなどの課題をいかに解決するか、人や物の移動や交通の自由をどう保障するか再検討が求められている。

移動権および交通権が注目され始めた時期をたどると1970年代まで遡る。背景は重度障害者でも外に出て移動できるよう障害者の権利保護への関心が発端だった。さらに、自動車の普及に伴い乗り合いバスや路面電車などの公共交通機関が衰退した動きもあって、移動のままならない状況を解消する観点から法的な対策に迫られるようになった。

海外では、フランスでいち早く社会的な権利として交通権を法的に位置付ける動きが進み、1982年「国内交通基本法」を成立させた。目的は、公共交通や物流などの利用の観点から移動権や交通権の格差是正を図るものだ。さらに、1990年、米国でも障害者保護の観点から交通上の差別を禁止する「障害を持つ米国人法」が成立している。

第6章

「空間×ヘルスケア2030」実現へのカギ

「空間×ヘルスケア 2030」実現へのカギを握る、
日常生活でのセンシング技術やそのデータ活用。
その中から、「がんスクリーニング」技術についての事例(TOPIC)
に加え、関連するキーワード(KEYWORD)を紹介していく。

TOPIC

事例

課題は社会実装に向けた社会的コンセンサスの構築

「がんスクリーニング」技術、最前線 超早期発見の時代へ

微量の血液や尿などを採取するだけで、患部から直接組織を採取する生検（バイオプシー）並みの高い精度でがんを発見できる――いわゆる「リキッドバイオプシー」と呼ばれる技術に注目が集まっている。検査を受ける人に大きな負担をかけず、早期発見につながる可能性があるため、世界中の研究者や企業が研究開発にしのぎを削っている。「空間×ヘルスケア」の実現に向けたカギを握るテクノロジーの1つだ。

リキッドバイオプシーの中でも、「マイクロRNA《アールエヌエー》」を巡る技術の進展が著しい。マイクロRNAは、がんの増殖や転移に深く関わっている分子。血液だけでなく、尿や腹水、涙などあらゆる体液中に存在する。国立がん研究センターを中心とした研究グループによる開発プロジェクト「体液中マイクロRNA測定技術基盤開発」（2014～2018年度）では、採取した1～2滴の血液からマイクロRNAを調べることで、13種類のがんを早期発見する新しい検査法が開発され話題となった。

これまでも、がんの発病や進行を知ることができる「腫瘍マーカー」が検診や治療の場で広く使われてきた。しかし、発病直後の早期がんは検出できなかった。加えて、他の病気でも陽性になる場合があるなど、早期発見を目指す検診には使いにくい面も少なくなかった。

「尿」から、がん早期発見を目指す

1滴の尿から高精度にがんを早期発見する――。そんな技術の開発を進めているのが、スタートアップ企業のCraif（クライフ）だ。尿中に含まれるマイクロRNAを独自デバイスで回収してAIで分析する技術である。マイクロRNAによるがん検出には血液を使うケースが多いが、尿を選んだ理由について、同社CEOの小野瀬隆一氏は「血液より多くのマイクロRNAの種類を採取でき、何より非侵襲で患者の負担が少ないから」と説明する。

独自デバイスは、酸化亜鉛ナノワイヤとマイクロ流路を組み合わせたもの。尿中に含まれるごく微量のマイクロRNAを高効率に分離・回収できるとする。「従来の方法では2000種類以上あるマイクロRNAのうち200〜300種類が限界だったが、我々の技術では

1滴の尿から高精度にがんを早期発見するための
Craifの独自デバイス（写真：Craif）

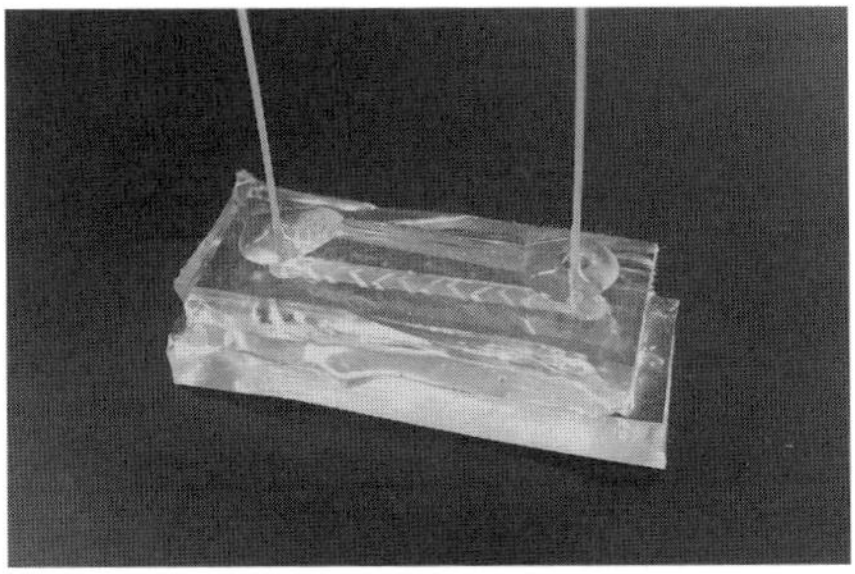

1300種類以上発見できる」（小野瀬氏）。これにより、初めてマイクロRNAの網羅的なプロファイルを解析できるようになったという。マイクロRNAが複数でがんに作用しているとの論文も多く、豊富な情報があればあるほど発見の精度が向上するとみる。

がん種の特定に関してはまだ研究段階。ただし、将来的にはがん種に加え、良性・悪性腫瘍の区別、類似疾患との見極めなどにも生かせる手応えをつかんでいると小野瀬氏は語る。

一方、日立製作所も尿検体を用いたがん検出技術の開発を進めている。尿中の「代謝物」を網羅的に解析することで、がんを見つけ出そうというものだ。代謝物は、たんぱく質の働きによって生体内で日々つくられている物質。遺伝子を網羅的に解析する「ゲノミクス」に対して、代謝物を網羅的に解析する「メタボロミクス」という分野も近年注目を集めている。

代謝物からがんの判定ができるのは、がん細胞から分泌される物質にがん細胞の特徴を反映した変化が表れるためだという。同社は、液体クロマトグラフ／質量分析計を使うことで尿中から高精度に測定できる約2000種の代謝物に着目。特に重要な代謝物30種類を特定し、さらに、がんに特異的なバイオマーカーとして数種類に絞り込んだ。今後、実用化に向けた検証を進める考えだ。

こうした技術の社会実装に向けては、医療との正しい連携の下で、想定される課題の理解や社会的コンセンサスの構築などを進める必要がある。例えば、早期スクリーニングによって必

Beyond Healthが開催した円卓会議の様子。参加した有識者（氏名50音順、肩書は開催時のもの）は、富士通 健康推進本部 健康事業統括部 統括部長 東泰弘氏／国立がん研究センター 理事長 中釜斉氏／ディー・エヌ・エー 代表取締役会長 南場智子氏／キャンサースキャン 代表取締役社長 福吉潤氏／アフラック生命保険 執行役員 森本晋介氏。座長は日本学士院長、京都大学名誉教授・元総長 井村裕夫氏が務めた。（写真：剣持 悠大）

要以上に多くの人を精密検査に送り込み、結果として医療現場の負荷を高める、いわゆる「過剰診断」。これをどう考えるかも社会実装に向けては避けて通れないポイントだ。

有識者を交えた円卓会議を実施

そこで、Beyond Healthは2020年9月、多様な分野の有識者を交えた円卓会議「健康人生100年の世界を実現するために『がんスクリーニング』を考える」を東京都内で実施した。同会議は、❶「がんスクリーニング」の重要性を訴える、❷「がんスクリーニング」を社会に根付かせるための課題を提起する、❸「がんスクリーニング」に様々なステークホルダーの参画が不可欠であることを示す、を目的としたものである。議論の詳細は、Beyond Healthの特集記事（下記QRコードからリンク）を参照されたい。

Beyond Health
特集記事

Sensing, Data, …

KEY WORD

がんスクリーニング

個人の行動変容、新たな検査技術の社会実装が重要に

がんスクリーニングとは、「生活者の中から、がんに関する検診や医療インフラに行くべき人を振るい分けること」とBeyond Healthでは定義した。

がんの対策には、生活習慣の見直しによりがんの原因となる行動を避ける「一次予防」、がん検診による早期発見で早期治療を行う「二次予防」、外科手術後の抗がん剤治療などで再発を予防する「三次予防」がある。このうち二次予防に当たる早期発見の実現につなげるのが、がんスクリーニングだ。

まずは、検診受診率の向上が欠かせない。そのために、いかに個人の行動変容を促し、リテラシーを高めていくかという視点が重要になる。次に、受診者の負担がより少なく精度が高い新たな検査技術（スクリーニング技術）の開発も求められる。そして、こうした技術を社会実装するため医療機関を含めた異業種連携やインフラ整備、コンセンサス形成も不可欠だ。

がんスクリーニングの重要性を訴え、社会に根付かせるための課題を提起し、様々なステークホルダーの参画が不可欠であることを示すため、Beyond Healthは2020年9月、多様な分野の有識者を交えた円卓会議を実施、同会議では「【宣言】がんスクリーニングを社会に」を採択した（169ページ）。

フレキシブルセンサー

〝貼り付ける〟や〝着る〟、装着感をより少なく

フレキシブルセンサーとは、曲げ伸ばしできる素材を用いて、曲面に取り付けることのできるセンサーのこと。皮膚などに直接沿わせることが可能なセンサーも登場し始め、医療やヘルスケア領域への応用が期待されている。

例えば、東京大学大学院工学系研究科長教授の染谷隆夫氏らのグループは、かねてシート型のフレキシブルデバイスの開発を進めてきた。2020年1月には、ジャパンディスプレイ（東京都港区）と共同で開発した、指紋・静脈・脈拍を同時に計測できるシート型イメージセンサーを発表した。センサーは薄型で曲がるため、ウエアラブル機器への組み込みが容易だという。生体を認証するための指紋や静脈に加えて、バイタルサインの脈拍を同時計測できるという特徴を生かして、患者の取り違え防止用の機器開発などにつなげたいとする。

さらに染谷氏らは、皮膚に直接貼り付けるセンサーの開発も進めている。身に着けるのでは

なく貼り付けることで、日常生活の邪魔をすることなく体の状態をセンシングすることを目指す。2020年7月には、大日本印刷と共同開発している皮膚に貼り付けるスキンディスプレーのフルカラー化に成功したと発表。大日本印刷が独自開発した〝DNP方式〟と呼ぶ電極配線を採用し、皮膚に貼り付けても破損することのない伸縮性のある電子回路基板を実現した。この配線方式を採用すれば、全方向に伸縮が可能で、変形させても電気抵抗が変化しないという。

研究チームは、こうした皮膚に貼り付けるスキンディスプレーの技術を活用しながら、LEDの代わりにセンサーを搭載することで、皮膚に貼り付けるセンサーの開発を進めたいとしている。搭載するセンサー次第で、体の動きや体調などの様々なデータが取得できると期待される。まずは、体勢の検知や脈拍の測定をするセンサーの搭載を目指している。例えば、体勢を検知するセンサーを搭載し、赤ちゃんの皮膚に貼り付けて、起きているか寝ているかを確認する――といった使い方を想定しているという。

ヘルスケア型情報銀行サービス

ヘルスケアデータの適正な流通・活用へ

ヘルスケア型情報銀行サービスとは、個人情報を含むヘルスケアデータを預かる事業者が、本人に代わってデータを管理し、許諾の下でデータを利活用する企業などに提供する仕組み。本人は自らのデータを提供したインセンティブとして健康関連サービスなどの還元を受けられる。

総務省の「情報信託機能活用促進事業」で、ヘルスケア分野における委託事業の1つとして実証事業が行われた。この実証事業は、マイデータ・インテリジェンス、大日本印刷、DataCurrentの3社が提案したもの。データを利活用して本人に健康関連サービスなどの提供を行う企業としては、キリンホールディングスやRIZAPなど6社が参加した。

ウエアラブルデバイスやIoT機器の普及により、個人のヘルスケアデータは各事業者が構築したPHR《ピーエイチアール》（Personal Health Record）に蓄積されている。このデータの利活用は、基本的に事業者に委ねられている。

具体的には、個人情報を含むデータの第三者への提供は本人の同意が必要だが、個人を特定できないデータの利活用に関しては本人のコントロールが及ばない。そのため、事業者にデータが囲い込まれ、十分な活用がされにくいという課題がある。

これに対してヘルスケア型情報銀行サービスでは、個人のヘルスケアデータなどを預かる事業者が、本人の意向によってデータの利活用に関する契約を事前に交わす。その契約に基づいて、本人に最適な健康関連サービスを手掛ける利活用企業を選定してデータを提供する。データを提供された利活用企業は、データ提供の対価として本人に最適なサービスを還元する。

次世代医療基盤法

改正個人情報保護法を受けて制定された医療分野の個別法

次世代医療基盤法とは、「医療分野の研究開発に資するための匿名加工医療情報に関する法律」の略。2018年5月11日に施行された。

本法が制定された背景にあるのが、2017年5月に改正された「個人情報の保護に関する法律」(改正個人情報保護法)。個人の病歴や健診・検診結果など医療情報の多くは「要配慮個人情報」と定められ、医療情報を医療機関外に持ち出す場合には目的を明確にして患者本人の同意を得ることが必要になった。このため、研究などで医療情報を収集し分析するなどの利活用が非常に難しくなった。そこで、研究開発の推進に弊害がないよう医療分野の個別法という位置付けで制定された。

次世代医療基盤法では、医療情報の匿名加工を行う事業者(認定事業者)を国が認定することになっている。医療機関は、患者への説明・告知によって本人が拒否しない限り、医療情報を匿名加工せずに認定事業者に提供できる。認定事業者は、各医療機関から収集した患者の医療情報を名寄せしたうえで、匿名加工を行う。匿名加工した情報は、企業・研究機関などとの間で利活用目的に応じて審査・契約し、個別に提供することができる。

当初は、情報を提供する国民や医療機関にとってのメリットが議論になった。ただし、結果的に効果の高い治療法などの研究成果が日常診療にフィードバックされ、国民生活に恩恵をもたらすと期待されている。例えば、次世代医療基盤法によって、大量の実診療データに基づいた治療選択肢の評価などに関する大規模研究が可能になると期待できる。異なる医療機関や異なる領域の情報を統合できるようになることで、例えば糖尿病と歯周病のように異なる診療科の関連が明らかになる可能性がある。

ePRO《イープロ》

医療の質を高めるために欠かせない評価法

ePRO《イープロ》とは、electronic patient-reported outcomeの略語で、日本語訳は「電子的な患者報告アウトカム」。パソコンやタブレット端末、スマートフォンなどの電子機器を使い、医師ではなく、患者自身が健康状態やQOL（生活の質）などを記録・評価する仕組みを指す。

患者は、医療機関を受診した際にそれまでの自分の症状などを医師に伝え、医師はそれをカルテなどに記録するのが通常の医療プロセスだ。しかし、受診と受診の間の日常生活において、患者が本当にどのような状態なのかを医師が面接時間内に正確に知ることは簡単ではない。患者もその場で日常の状態を伝え切ることは難しい。

ｅＰＲＯは、この溝を埋めるものとなる。その項目は、痛みをはじめとする自覚症状から日常生活の活動能力、さらには身体的・心理的・社会的側面を含むＱＯＬまで及び、患者が認識する治療のリスク・ベネフィットに関するエビデンスを直接得ることができる。

ｅＰＲＯでは様々な医療データを取得することが可能だが、そもそもどんなデータを取得すべきかを考える必要もある。またスマートフォンでデータを取るにしても、そのためのソフトウエアをどのように構築するかも重要。電子カルテなど既存のシステムとの連携をどう行うかも検討する必要がある。課題は多く存在するが、今後の医療にこうしたデータの取得が欠かせなくなることは間違いなさそうだ。

第7章

私が考える「空間×ヘルスケア 2030」

様々な分野のトップリーダーや有識者は、
2030年の近未来に向けた課題をどう考えているのか。
「空間×ヘルスケア 2030」の社会実装に向けて必要になる
多様な視点(OPINION)を紹介していく。(氏名50音順)

OPINION

Road to 2030

健康長寿の実現には社会全体の能動的な参加が必要だ

日本学士院長、京都大学名誉教授・元総長　井村裕夫氏

病気の発病前にできるだけ予測的な診断をして、介入することにより発症を防ぐ――。そんなコンセプト「先制医療」を10年ほど前に提案した井村裕夫氏。スクリーニングなどにより、症状がまったく出ない時や発症初期で捉え、介入していくことで命に関わる事態に至る前に悪化を防ぐことが重要だと説く。

――先制医療は、これまでの予防医学とはどう違うのですか。

20世紀後半になって世界各国で、がんをはじめとして、心血管系疾患や糖尿病など、高齢者のＱＯＬ（生活の質）を低下させ介護を必要とする状態にする「非感染性疾患」（ＮＣＤ《エヌシーディー》）が増加し、その予防に関心が持たれるようになりました。虚血性心疾患の増加に危機感を持った米国では、１９４８年以降、フラミンガムという町の住民を対象とした追跡研究（コホート研究）が行われました。その結果、高コレステロール血症、高血圧、喫煙、肥満などのリスク因子が明らかにされ、それら因子への対策が予防法として進められるようになりました。

日本では、１９５０年代から当時の厚生省が成人病という概念の下、その早期診断・治療を目指して中高年を対象にした啓発活動と検診が行われました。こうしたＮＣＤへの予防は集団を対象とした標準的なものであり、リスクをすべて持っていても心筋梗塞を起こさない人がいるし、リスクがまったくないか１つだけ持っていても起こす人もいる。統計学的に見れば、たくさんのリスクを持っている人に発症が多いのは間違いないのですが、それが必ずしも個人に当てはまらないところが従来の予防医学の最大の問題です。

ＮＣＤは、一般に遺伝素因と環境因子が相互作用して発症すると考えられています。21世紀に入ってヒトゲノムが解読され、疾患感受性遺伝子の研究が進むとともに、血液の生化学あるいは免疫学的検査や画像診断が著しく進歩しました。これにより、個人の特徴に応じた予防法の開発への期待が高まりました。

さらに、中高年以降の様々なＮＣＤの発症には、胎生期や生後早期の低栄養が影響するとの疫学研究が注目を集めるようになりました。第２次世界大戦末期のナチス・ドイツ占領下のオランダで起きた飢餓の直後に生まれた子どもの追跡調査

いむら・ひろお。1931年生まれ。専門は、内分泌・代謝学。『健康長寿のための医学』（岩波新書）など著書多数。（写真：石田高志）

では、統合失調症や肥満、糖尿病、心筋梗塞などが多く、最近では認知機能の低下も認められています。

先制医療は、こうした医学の進歩を背景としたものです。個人の遺伝素因やバイオマーカー、早期からの身体所見や病歴などから、水面下にある病気を予測し、その時点で介入することによって発症を遅らせるか防止することを目指しています。

——発症前に先制医療を適用し得るＮＣＤとして、具体的にはどんなものが考えられるでしょうか。

既に分かっているのは、認知症の中でおよそ60％以上を占めるアルツハイマー病です。若年発症例もありますが、多くは65歳以降に起こる晩発型であり、発症の20年ほど前から脳内にアミロイドβの蓄積があることが解剖学的所見から知られていました。

近年、アミロイドβをＰＥＴ《ペット》スキャン（陽電子放出断層撮影）で検出できるようになり、発症前にプレ・アルツハイマー病を診断して対策を立てることが可能になってきています。ただ、確実に有効な薬剤はまだ開発されていないので、プレ・アルツハイマー病を進行させる環境因子、例えば糖尿病や脂質異常症、高血圧、運動の少ない生活様式などへの対策を考え、発症を防止あるいは遅延させる方法を考えるべきでしょう。

欧米では最近、アルツハイマー病が減り始めています。その原因は解明されていませんが、戦後の大学進学者の増加が関係しているといわれています。知的好奇心を持ち続けることも重要です。

――病気が起きてから対処するのが今の医療ですが、先制医療はその前段階のフェーズに介入していこうという考え方ですね。

そういうことです。健康寿命が長い社会を実現するためには、ヘルスケアの在り方を変えていかなければなりません。現在の医療制度では、医師を含め医療提供者の大部分は病院または診療所で、不調を訴えてくる人を待ち構えている。いわば、人々が病気になるのを待って、診療行為を行っているわけです。

しかしそれでは、高齢者がＮＣＤを発症し要介護状態になるのを防ぐことはできません。医療は受け身から能動的姿勢に転換することが求められています。それと同時に、先制医療の実現には、医療提供者だけでなく、社会のあらゆる組織、自治体、企業、ＮＰＯ法人などが疾患の予防に関与していかなければなりません。

政府も予防に対する健康保険の適用を段階的に考えていくべきです。健康長寿は社会のすべての人、あらゆる組織が能動的に参加しなければ成り立たないものであるといってよいでしょう。

OPINION

Road to 2030

ニューノーマル時代の働き方とワークプレイス、共創なくして社会の課題は解決できない

ＮＥＣネッツエスアイ　代表取締役執行役員社長　牛島祐之氏

テレワークをはじめとする多様な働き方が登場する一方、社員のメンタル面への不安やエンゲージメントの低下などの課題も残る。積極的な働き方改革に取り組み、ノウハウを他社にも提案するＮＥＣネッツエスアイの牛島祐之社長に、これからのオフィスの役割や課題解決の方法などを聞いた。

——コロナ禍の拡大によって、働き方やワークプレイスの在り方が大きく変わりました。

これほど急激に働き方が変化したのは、そもそも今までの日本のワークプレイスが生産性を高めたり、イノベーションを生み出したりする上で、うまくマッチしていなかったということもあるのでしょう。多様な働き方を可能にしたのは、ＩＴの進展によるところが大きい。日本はセキュリティを重視する傾向が強く、それがともすればＩＴを活用する上で、ある種のブレーキにもなっていました。しかしコロナ禍を機に、ＩＴを柔軟に活用していこうという風潮が生まれ、いろいろなチャレンジが許される環境になってきたと思います。

これからの働き方はオンラインとリアルを共存させ、組み合わせていく必要があります。た

だ、今はオンラインに少し傾きすぎている気がします。リアルなコミュニケーションがなくなり、精神的に不安定になっている人も少なからずいるでしょう。デジタルとアナログとのちょうどよいバランスをどう見いだすかが、今のマネジメントに求められています。

また、コロナ禍では多くの企業が、ウェルビーイングの実現に向けて動き出しています。そのための施策はいろいろありますが、まずは社員の健康づくりを進めていくことが重要でしょう。特に東京都心部にオフィスを構える企業の場合は、「通勤」という要素が社員の大きな負担になっていました。当社でもコロナ禍前の2019年に、通勤時間が30分圏内になるようサテライトオフィスを設けて、本社機能を分散化しました。2021年度には改めて「健康経営宣言」を行い、社員の健康を増進させる取り組みをスタートしました。4月から、喫煙者に〝卒煙〟をお願いして、社員全員がたばこを吸わない会社になろうとしています。今後は、ウエアラブルデバイスを社員に配布して、健康増進に役立てていく予定です。チーム戦で健康を競い合うとか、ワクワクするような楽しい取り組みも、ウェルビーイング実現のためには必要でしょう。

うしじま・ゆうし。2017年6月から現職。分散型ワークの推進をはじめ、イノベーション創出のためにスピーディーな経営を進めている。（写真：吉成 大輔）

――テレワークで会社に行かなくなることによって、社員の会社に対するエンゲージメントが低下すると危惧する声もあります。

その可能性はあるでしょう。エンゲージメントを高めるためには、会社（役員）と社員のインタラクティブなコミュニケーションが必要だと思います。例えば当社では2020年に、VTuber《ブイチューバー》がファシリテーターとなって役員と社員との対談を全社にライブ配信するというイベントを開催しました。実はVTuberの「中の人」は私だったのですが、会社に忖度したような言い方をしたときは「忖度、忖度」と他の社員から書き込まれました（笑）。こうした試みによって、社員の本音が聞けますし、役員もかなり本音で答えていたので社内の活性化につながったと思います。

――テレワークの普及によって、「もはやオフィスは必要ない」という声も出ています。

私は必要だと思います。イノベーションをつくり出すような〝ひらめき〟の多くは、人と人とがリアルに出会い、意見をぶつけ合ったときに生まれるものです。オンラインでも近いことはできるのでしょうが、やはり最終的に必要なのは、アナログのリアルなコミュニケーションでしょう。オフィスは、単に働くだけの場所ではなく、そういう出会いの場所でもあります。

ひらめきに必要なのは、多様性だと思います。全然違うバックグラウンドの人たちが、コミュニケーションを取るときにひらめきは生まれやすくなります。そういう多様性をつくり出す工夫が、これからのオフィスには求められます。当社の東京・日本橋のオフィスも、社員以外のいろいろな人たちをインテンショナル（意図的）に吸い寄せる場所として設置しました。社外の人に来ていただいて、いろいろな議論をしたり、いろいろな物を作ったり、実験したりする〝ラボ的〟な要素を持たせているのです。

――社外の多様な人と出会う機会が増えれば、共創によるイノベーションも生まれそうです。

当社は製品そのものを開発しているわけではありません。いろいろな方が持っているサービスや価値を組み合わせて、効果的に活用するビジネスモデルです。このモデルは、他社との共創なくしてあり得ません。いま世の中がコロナ禍で大きく変わってしまい、いろいろな社会課題が一気に噴き出しています。これらを1社だけで解決するというのは無理でしょう。規模感とスピード感を求めるのであれば、共創によって課題解決の方法を探るしかありません。

日本の企業は、どうしてもコンペティション（競争）になりやすく、コ・クリエーション（共創）が苦手です。でも、これからグローバルで戦わなければいけないときに、国内で潰し合っている場合ではありません。ＳＤＧｓ（持続可能な開発目標）もそうですし、高齢化や自然災害など大きな社会課題が次々と生まれています。多くの企業が協力し合って新しい価値をつくり出すためには、当社が必ずしもリーダーにならなくてもいいのです。各プレイヤーを束ねる役割を担うことで、我々はビジネスができると思っています。

OPINION

Road to 2030

「キャンサーエコシステム」の構築を目指し、社会的課題に取り組んでいく

アフラック生命保険 代表取締役社長 古出眞敏氏

「空間×ヘルスケア」の社会実装に当たっては生命保険会社の役割も重要だ。病気になったときに金銭面で支えるだけではなく、病気になる前から生活者にいかに関わっていけるか――。実際に取り組みを進め始めているアフラック生命保険社長の古出眞敏氏に話を聞いた。

――「がん保険」のトップランナーとして、保険以外にも幅広い価値の提供を積極的に推進されています。

私たちは「がん保険」で始まった会社です。日本初のがん保険を発売した1974年から45年以上、「がんに苦しむ人々を経済的苦難から救いたい」という創業の想いをコアバリュー（基本的価値観）として連綿と受け継いできました。

がんに関わる社会的課題には様々なものがあります。治療は医療従事者が提供しますが、生活者から見れば、健康増進や予防から始まり、治療後のQOL（生活の質）の維持まで「ペイシェントジャーニー」と呼ばれる過程で様々な領域が存在します。従来、保険が提供してきた

経済的備えという価値以外に、こうした幅広い領域で当社の強みを活かし新たな価値を提供できるのか追求しています。

——その取り組みの1つが、「キャンサーエコシステム（Cancer Ecosystem）」の構築というわけですね。

そうです。私たちは、がんやがん患者を取り巻く様々な問題を包括的かつ総合的に解決するため、がん患者とその家族のニーズを汲み取りながら、様々な企業や団体等が連携・協業するプラットフォーム「キャンサーエコシステム」の構築を目指しています。そして、キャンサーエコシステムの一環として、ここ数年でがんに関するヘルスケア事業で様々なスタートアップ企業や大学・研究機関との連携・協業を一気に加速しています。

こいで・まさとし。2017年7月から現職。保険の枠を超え、もっと広く包括的に、がんに関わる社会的課題の解決への貢献を目指している。（写真：川島 彩水）

45年以上、コアビジネスとしてがん保険を提供してきたアフラックだからこそ、その経験を生かして、がんに関するヘルスケア事業でも新たな価値を創造できると考えています。幸い、「がん保険はアフラック」という高い認知度のおかげで、キャンサーエコシステムの構築に向けて理念を共有するパートナーも増えています。こうしたパートナーと着実に価値の創出につなげられるように、「アフラックがやらなくて、どこがやるんだ」という強い思いで取り組んでいます。

——キャンサーエコシステムは、保険加入者（患者）側からのニーズという点ではどう位置付けていますか。

患者の方には、予防、早期発見、治療と仕事の両立、治療後のQOL維持など治療以外の領域においても多様なニーズがあります。医療機関だけでそのような多様なニーズに応えていくのは難しいと聞いており、医療機関以外も含めた様々なステークホルダーが連携・協業して取り組んでいくことが必要です。私たちは、各ステークホルダーがそれぞれの強みにフォーカスしつつ、連携・協業して、保険が提供する価値だけでは解決できないようながんに関わる社会的課題を包括的に解決するプラットフォームとして、キャンサーエコシステムを構築したいと思っています。

こうした想いのなか、2021年1月に『「がん患者本位のエンゲージメント」を目指して～がん患者が社会で自分らしく生きるための3つのビジョン～』（日経BP）を発行しました。これは、がん患者本位に基づく医療の在り方について、約1年半をかけて医療関係者や有識者の方々が議論を重ねてきた内容を報告書としてまとめたものです。アフラックが事務局を務めました。同書では、がん患者に関わる様々な課題を洗い出し、その解決に向けて、3つのビジョンと10のアクションを示しています。今後は、様々なステークホルダーと共に、これらのビジョンとアクションの社会実装にも取り組みながら、キャンサーエコシステムをより充実したものにしていきたいと考えています。

――がんを含めた様々な疾病に対する「未病」の領域への注目が、昨今では高まってきています。

私たちはキャンサーエコシステムで培った知識・経験を生かして今後広く疾病全般を対象にしたヘルスケア事業でも様々なサービスを提供していきたいと考えています。その場合、この未病の領域は開拓の余地が大きいと思っています。未病の領域では、日常生活における心身の状態のデータをモニタリングするなど、データの収集・分析が重要になります。

さらに、AI、IoT、ビッグデータなどデジタル技術の進歩により、未病の領域に限らずペイシェントジャーニーのどの領域においてもデータサイエンスが重要になってきます。この点、私たちは、これまでの長年のがん保険や医療保険などの提供を通じて様々なデータを保有しています。こうしたデータをビッグデータとして活用することで、キャンサーエコシステムや広く疾病全般を対象にしたヘルスケア事業において新たな価値を創造していけないだろうかとの視点で、データサイエンスの積極的な利用も検討しています。

OPINION

Road to 2030

デザインの力で〝知らぬ間に〟病気予防を

東京医科歯科大学 教授／横浜市立大学 特別教授 武部貴則氏

24歳でiPS細胞を使った〝ミニ肝臓〟の作製に世界で初めて成功し、31歳で横浜市立大学医学部と東京医科歯科大学の史上最年少教授に就任した武部貴則氏。同氏が再生医療研究と並んで熱心に取り組んでいる領域が、もう1つある。デザインやコミュニケーションの力を駆使して、人々を自然に健康的な行動へと促す「ストリート・メディカル」の実践だ。

――医学部在学中に「広告医学」という概念を提唱されました。デザインやコピーライティングといった広告的視点を医療現場に取り入れることで、人々の自然な健康行動を誘発しようというものです。こうした手法に関心を持つようになった背景には、お父様が脳出血で突然倒れたという経験があると聞いています。

医療側が発したメッセージは幾つもあったのに、当時の父には届いていなかった。医療が介入できる機会もあったはずなのに、それもうまく機能しなかった。そういう例は父に限らず、多くの人にも当てはまるのではないでしょうか。

健康に関心のある人は自ら情報を取りに行って、病気にならないための行動を起こしますが、そういう人は社会の中ではむしろ少数派。大多数の人はいわゆる健康無関心層で、予防医学の専門家が頑張って働きかけてもなかなかリーチしないところにいます。しかし、重い病気を発症してからでは遅すぎる。この最もポピュレーションの多い層をどうやって動かすかが大きな課題だと思っています。

例えば、日経新聞を読んでいるようなリテラシーのある人たちは、今は健康に関心がなくても、「面白そう」とか、「かっこいい」などと思えるような何かに出合うと、それを契機に健康への関心が一気に高まる可能性があります。では、どうやったら面白そう、かっこいいと思ってもらえるのか。そこで重要になるのがデザインの力だと考えているのです。

デザインとは、メッセージを目に見える形にすること。医療側からの発信をデザインの力で分かりやすく可視化することで、人々の共感や感動や驚きといったポジティブな感情を呼び起こせるのではないでしょうか。デザイン性が低いものを世に送り出しても、人の心はあまり動きません。デ

たけべ・たかのり。著書に『治療では遅すぎる。ひとびとの生活をデザインする「新しい医療」の再定義』（日本経済新聞出版）がある。（写真：稲垣 純也）

ザインの良しあしはとても重要です。ただ医師や研究者といった論理の領域の人たちは、そういった可視化が苦手なことが多い。だからこそ、医療と広告が手を組むメリットは大きいと思っています。

――広告医学の考え方をさらに発展させ、新しい医療の形として「ストリート・メディカル」という言葉を提唱されています。

病院だけでなく、人々が暮らす街（ストリート）の中にまで医療を拡張させ、生活の場で医療との接点を築いていこうというものです。目指しているのは、〝病を診る医療〟から〝人を観る医療〟へのシフト。その研究拠点として、２０１８年には横浜市立大学先端医科学研究センターに「コミュニケーション・デザイン・センター（ＹＣＵ-ＣＤＣ）」を開設しました。自治体や企業などとタッグを組みながら、ストリート・メディカルを具現化させるプロジェクトを進めています。「Street Medical」は横浜市立大学の登録商標になっています。

２０１９年からは東京デザインプレックス研究所と共同で、医療や広告、デザインなど各界のトップランナーを講師に迎えた「ストリート・メディカル・スクール」を開設しています。医療従事者やデザイナーなどが共に学ぶ場で、講義とフィールドワークを半年行った後、実装を目指したコンペを開くのです。目からうろこのユニークなアイデアも多く、例えば、香りを感知する能力を測るチョコレートという企画もありました。パッケージには何の香りかは記載せず、香りの程度も何段階か用意されています。ユーザーが食べながら風味を推測し、自分の嗅覚の状態を知るというコンセプトです。嗅覚の異常にいち早く気づけば、病気の早期発見に結びつく可能性があります。

〝初めての婦人科〟を後押しする、マンガで学べる生理用ナプキンの発案もありました。個包装のナプキンの剥離紙を利用して、体に関する情報をマンガで分かりやすく発信するというアイデアです。生理の異常に早く気づき、婦人科受診のハードルを下げるのが狙い。ある企業が関心を持ち、商業化に向けて動いています。

――2021年1月に、科学技術振興機構（JST）の「ムーンショット型研究開発事業」のミレニア・プログラムに武部教授らが応募した「ストリート・メディカル・シティ」と呼ぶプロジェクトが採択されました。その第1ステップとして横浜市の関内駅周辺でこれから次々と着手される再開発との連携も模索しているそうですね。

これは完成までに10年ほどかかる大きなプロジェクトです。複数の企業から成るコンソーシアムに参加させてもらうことになりました。私たちは「ストリート・メディカル・シティ構想」と呼んで、今、構想を練っているところです。そこに暮らす人が人間らしく生きられる、自分のやりたいこと、ありたい姿を自然に体現できる、そんな自己実現が自然にかなう仕掛けを街の中にいろいろとつくっていきたいと考えています。

OPINION

Road to 2030

ヘルスケア業界も「デザイン」を積極的に生かすべき

ロフトワーク 共同創業者 取締役会長 林 千晶氏

様々な形態のコラボレーションを通じて、新しい価値を生み出すプロジェクトを多数手掛ける——。2000年にロフトワークを共同創業した林千晶氏は、そんな人物として知られている。米MITメディアラボ所長補佐やグッドデザイン審査委員など多彩な領域で活躍する同氏から見た「空間×ヘルスケア」とは。

——これまでに様々な異業種連携やプロジェクトを手掛けてきた林さんは、ヘルスケア領域にどんな印象を持ちますか。

もともと、規制が多い業界だとは思いますが、「こうあるべき」といった独自の〝縛り〟のようなものがあるように感じます。さらに、その縛りに甘えているような側面もあるのではと思っています。

だからでしょうか、あまり差異化されていない同じようなサービスが、当たり前のように存在しているようにも見受けられます。もちろん、人の命に関わる立場ですから、それなりの規制は必要ですし、嘘や誇張もよくないでしょう。しかし、生活者の目線に立ったときに、どうやったら本質をより伝えることができるのか。そういったことを重視すれば、もっと多様なやり方はあるように思います。

例えば、「健康」という言葉1つを考えてみても、「ヘルスケア」と表現するか、あるいは「ウェルビーイング」と表現するかで、ユーザーのイメージや理解度などは変わってきます。どんな見せ方で世の中の人にアプローチしていくのか。本質は変わらないとしても、様々な視点から最適なやり方を選んでいく必要性があるでしょう。

――デザインやエンターテインメントなど他業界の知恵や工夫を取り入れることも必要になりそうですね。

はやし・ちあき。花王を経て、2000年にロフトワークを起業。ビジネスデザインや空間デザインなど、手掛けるプロジェクトは年間200件を超える。（写真：寺田 拓真）

「デザイン」は、企業経営において重要なキーワードになると私は思っています。実はロフトワークでは、2018年5月に「デザイン経営」宣言と題した報告書を発表しました。ここでは「世界の有力企業が戦略の中心に『デザイン』を据えている」ことに着目し、デザインを活用した経営手法を「デザイン経営」と呼んで推進することを提言しています。

もともと、狭義の「デザイン」は物の色や形を決めていく仕事でした。しかし、現在の「デザイン」はその意味合いが大きく変化しており、ユーザーが本当に求めているニーズを探したり（デザインリサーチ）、そのニーズに応じて企業の役割を決めたりすることまで含まれます。デザイン経営はこういったプロセスを実践するもので、ブランド力やイノベーション力の向上を通じて、企業の産業競争力の向上に寄与すると考えています。

企業としては今後、経営者とデザイナーが対になって経営を進めていく必要があることから、その報告書では「CDO（チーフ・デザイン・オフィサー：最高デザイン責任者）の設置」を提案しています。規制が多く、その体制に慣れ過ぎているヘルスケア・医療業界であれば、なおさらCDOを設置し、企業や病院の経営に対して積極的にデザインを生かすべきでしょう。

――ヘルスケア・医療業界で、これは「デザイン経営」だと感じた事例はありますか。

石川県七尾市にある恵寿総合病院は、好例の1つに挙げられると思います。ユニバーサルデザインの視点から病院の様々な課題を見直し、すべての人に優しい外来を実現した「ユニバーサル外来」で、2017年度のグッドデザイン賞を受賞しました。実際に現地を視察した際には、私も本当に驚きました。

例えば、病院での診察は事前に時間を予約し、その時間に合わせて病院を訪れるのが基本です。しかし、地方の高齢者は病院まで家族のクルマで送ってもらうことが多いため、家族の都合で予約時間の数時間前から病院で待っているケースも少なくありません。

そこで恵寿総合病院は、海の見える雰囲気の良いカフェのような待合室をつくるとともに、隣接するコンビニエンスストアと提携して待合室でドーナツを販売する仕組みを整えました。これなら、予定よりもずっと早く病院に来てしまった高齢者も、お茶を飲んでドーナツを食べながら快適に待つことができるわけです。

――こうしたイノベーションはヘルスケア業界にも広がっていくでしょうか。

イノベーションは、異なる領域で起きた波が、別の領域に波及することで起こると私は考えています。ですから、他業界の企業が参入してイノベーションを起こすかもしれません。

介護の領域でも、こうした競争が起きると思っています。社会保障費の増大が国家的な喫緊の課題となっているだけに、この分野の規制はこれから緩和され、サービスも多様化していくと予想されるからです。例えば、宅配業者や郵便局が見守りを踏まえたサービスを検討したり、コンビニエンスストアなどが地域住民の集まりの場を提供したりする取り組みも起こっていますが、その始まりと言えるのではないでしょうか。実証段階ではありますが、あと数年もすれば、地域の環境を一気に変えるようなサービスが出てくると思っています。

OPINION

Road to 2030

不便さだけではなく「良かったこと」を調査、誰もが使いやすいデザインにあふれた街に

公益財団法人共用品推進機構　専務理事・事務局長　星川安之氏

身体的・精神的な健康維持のためには、外を歩いたり人と会ったりすることが重要だ。そのためには、街の中のあらゆる機器、サービスを障害の有無にかかわらず利用しやすいデザイン＝共用品・共用サービスにしていく必要がある。「空間×ヘルスケア」を推進する上で欠かせない観点だ。

――「共用品」「共用サービス」とはどのようなものですか。あらためて教えてください。

共用品の定義は「身体的な特性や障害にかかわりなく、より多くの人々が共に利用しやすい製品・施設・サービス」としています。日本が国際標準化機構（ISO）に提案し、2001年に制定された高齢者・障害者のニーズに配慮するための規格を作成する際の基本指針「ISO／IECガイド71」は、「共用品」の考え方が基になっています。そのガイドでは、共用品は「アクセシブルデザイン」と訳されています。

共用品の分かりやすい例としては、ノンステップバスや長い靴べラなどがあります。ノンステップバスは障害者だけでなく多くの人にとっても乗りやすいバスですし、しゃがまなくても

使える長い靴ベラも、多くの人にとって使いやすいデザインですよね。

よく、ユニバーサルデザインやバリアフリーデザインなどとの違いについて聞かれますが、私自身は、それぞれ言葉の違いはそんなにないと思っています。もちろん、それぞれ定義はあるのですが、共通して目指しているのは「みんなが使いやすい製品やサービスが一般的に普及した社会になればいい」ということなんだと思います。

——街に共用品や共用サービスが普及していけば、障害のある人でも街に出やすくなります。共用品推進機構が進めている「良かったこと調査」は、地域の中の「良かった場所やサービス」を様々な視点で掘り起こすことで、誰もが出掛けやすいまちづくりに役立ちそうですね。

ほしかわ・やすゆき。玩具メーカー在籍時から、より多くの人が使える製品・サービスの開発、普及に従事。1999年の同機構設立時から現職。（写真：北山 宏一）

最初は、旅行、コンビニエンスストア、医療機関、家電製品、公共トイレといった、製品や施設、サービス単位で調査を行っていました。2013年にスタートした取り組みです。これを地域でもやってみたらどうかということで、2019年に杉並区（東京都）で実施しました。交通機関、商店街など、街で「良かったこと」をいろいろな障害当事者団体の人たちが寄せてくれました。そして、集まった「良かったこと」の内容をイラストにしてみんなで共有したところ、これを杉並区がイベントなどいろんなところで活用してくれたんです。すると「これはいいね」と評判になり、他の地域にも広がっていきました。これまでに、沖縄県、岡山市、練馬区（東京都）で調査を実施しています。今年度は千代田区が本格的な調査を行う予定です。

——「不便なこと」ではなく「良かったこと」を調べるのはどうしてですか。

もともと「不便さ調査」はずっとやっていました。これをやるとマイナスからゼロまでは行くんですね。でも、悪いところを指摘していても「ゼロからプラスに」というのが難しい。北風と太陽みたいな感じでしょうか。そこで、良いところをみんなで共有して伸ばしていけるような調査ができないか、ということで始めたのが「良かったこと調査」です。

——調査結果は、どのように理解し、活用していったらよいでしょうか。

障害者差別解消法では、社会生活をする上でのバリアについて、障害者から対応を求められた場合、過度の負担でない限り合理的配慮の提供を拒んではならないことになっています。

国や自治体は法的義務、民間事業者は努力義務ということになっていますが、社会的な潮流としては、民間も努力から義務として対応すべきだという方向に変わってきています。一方で、そもそも合理的配慮（Reasonable accommodationの訳語）とはどういうことなのか、みんなよく分からない。分からないが故にあまり手を着けてこなかったという面もあります。

そして、調査して見えてきた「良かったこと」というのは、ほとんどイコール合理的配慮なんです。例えば、「店員さんがこんなふうに話し掛けてくれて良かった」といったこともそうです。このように、お金を掛けなくてもできることはすごくたくさんあるんです、

そんな「良かったこと」を、ある市の中で、町の中で、村の中で、みんなで共有することによって、地域全体に「良かったこと」が広がります。さらに、「それなら、こういうことだってできるよね」という気づきにつながります。こうしてより良い地域になっていくわけです。

——そんな街であれば、多くの人が出歩きたくなって、未病の改善や健康増進にもつながりそうです。こうした地域での「良かったこと」調査は、自治体が調査主体となるのでしょうか。

地域によってそれぞれです。自治体が予算を付ける場合もあれば、地域のNPOなどが中心となる場合もあります。

ただ、自治体で新しい調査をやるとなると、新たに予算を取らなくてはならず、なかなか難しい面もあるようです。各市町村では、障害者・高齢者のニーズ調査をやっているはずなので、その中に、不便なことや要望だけでなく「良かったこと」という項目を増やしてもらえれば普及が進むと考え、そのための方策を練っているところです。同じような調査が全国各地でできれば、さらには国際的にも共通の調査ができればと思っています。

OPINION

Road to 2030

ワーケーションの定着には社員の自律を促す法整備も必要

星野リゾート代表　星野佳路氏

常に斬新な滞在プランを提案する星野リゾートは、日本のヘルスツーリズムの雄として知られており、最近ではワーケーションにも力を注いでいる。コインの表裏の関係にある旅行とヘルスケア。同社は2030年に向けどんな戦略を温めているのか、星野佳路代表に聞いた。

——星野代表はコロナ禍以前より、ワーケーションを実践し、社内会議もオンラインで行っていたそうですね。

私はスキーをする時間を大切にしていて、年間60日はゲレンデに出ています。この職にあって仕事とスキーを両立していくためには、テレワークとワーケーションが必須です。幸い、近年はオンライン会議用のテクノロジーが急速に発展してきました。私にとっては、リフトに乗りながら仕事のメールを送受信できるということが非常に大きな意味を持つのです。

2019年まで、毎年8月は11年間続けてニュージーランドのスキーリゾートで過ごしていました。日本との時差は3時間（サマータイム以外）なので、16時に滑り終えれば、日本で午後から始まる会議に出られます。しかし、スタッフに対する罪悪感もあり、居場所が分からないよう日本の気候に合わせて半袖シャツに着替えて会議に出たりしていました。コロナ禍でスタッフもオンラインで参加することが増え、余計な気を使わずに済むようになりました（笑）。

――ワーケーションが観光業にもたらす影響についてどのようにお考えですか？

私はコロナの感染が終息すれば、観光業のほとんどは元の姿に戻ると考えています。そんな中で、唯一恒久的な変化をもたらすのがワーケーションではないでしょうか。

コロナ以前は、ワークの日とバケーションの日が明確に分かれていました。つまり、1年365日から法定休日の105日を引いた260日がワークの日だったわけです。しかし、ワーケーションが社会の認める文化となれば、例えば木曜日から日曜日までリゾートに滞在し、木曜日と金曜日はワーケーションをしようという発想が出てきます。ワーケーションの普及は、需要の平準化につながり、日本の観光業にとって大きなインパクトになります。

――ワーケーションを進めるためのポイントは何でしょうか？

ほしの・よしはる。1991年、星野温泉（現星野リゾート）代表就任。運営拠点は、「星のや」など5ブランドを中心に、国内外49カ所に及ぶ。（写真：星野リゾート）

まずは、私たちのような受け入れ側の体制です。個室がなければオンライン会議はできませんし、通信環境を整備する必要があります。もう1つは企業や国の課題となりますが、例えばワーケーションやテレワークなど、会社の目が届かないところで過重労働となり、心身を壊したり、過労死が問題になる可能性もないとは言えません。社員の健康管理はもちろん大切ですが、労働時間の申告など自律や自己責任を促す法整備も必要となるのではないでしょうか。

──星野リゾートでは以前から、星のや軽井沢（長野県）の「森林養生」や星のや東京（東京都）の「深呼吸養生」など、独自の滞在プログラムでヘルスツーリズムに取り組んでいます。

1980年代から1990年代にかけ、海外の主だったリゾートにはスパがあり、トリートメントマッサージが行われていました。当社の「養生プログラム」はそうした流れをくみつつ、スパの中だけでなく、食事やアクティビティなど滞在を通してトータルなトリートメントを受けていただくものです。

疲れを癒やす。ストレスを解消する。健康上のリセットがリゾートを訪れる目的の1つですが、2030年に向け、温泉旅館によるリセットの可能性をさらに広めていくことが今後の目標の1つです。そもそも、私の出発点は長野県の温泉旅館です。私は、温泉旅館こそが日本のヘルスツーリズムの原点であると考えています。西洋医学が普及する前、温泉旅館は湯治や療養の場であり、今もそうした文化を継承しつつ、ストレスの多い現代人のマインドをリセットする場として活用されています。日常を離れて温泉でリフレッシュし、和食で体の内側からも健康を促進する。こうした日本のヘルスツーリズムは今、世界で見直されています。

――星野代表は、「5年以内に北米」と発言しています。北米への進出は温泉旅館なのですか。

日本の運営会社が手掛けるわけですから、やはり温泉旅館でという思いがあります。

私が米国のコーネル大学に留学していた1980年代、日本の大手ホテルチェーンがこぞって海外展開していました。しかし、現地の人から見れば、「なぜ日本の会社がホテルをやるのか?」という違和感があります。日本の寿司職人が、パリやニューヨークでフレンチレストランを出店するようなものだからです。結果的に海外進出は失敗に終わっています。

しかし、あれから三十数年経った今、多くのインバウンドのお客様が日本の文化やおもてなしに触れ、日本食や日本酒の評価がうなぎ上りになっています。温泉旅館の進出には、またとない好機です。

そうはいっても今のところ、「週末、温泉旅館に行きたい」と考える米国人はほとんどいないと思います。ゼロに近いところからニーズを創出していく必要があるわけです。しかし、これも私の留学時代を考えると、当時は寿司を食べる米国人など皆無に近く、それが今では、米国の地方都市まで寿司店があるほどのSUSHIブームです。私は、温泉旅館もそうしたムーブメントに変えていけると思っています。

第8章

「空間×ヘルスケア 2030」社会実装への道筋

2030年に向けたビジョン「空間×ヘルスケア 2030」を
どう社会実装していくのか。日経BP 総合研究所が仕掛ける
ムーブメントづくりやロードマップについての座談会(DISCUSSION)と、
実証実験に関する対談(TALK)を紹介していく。

DISCUSSION

座談会

オープンイノベーションを加速し新事業を創出する

「空間×ヘルスケア 2030」を社会実装するために

メディアを活用した新しいオープンイノベーションにより、多様なステークホルダーを巻き込むことで「空間×ヘルスケア 2030」という旗を社会実装へとつなげる——。日経BP 総合研究所のメンバーが、そのシナリオを提示する。

新里　日経BP 総合研究所では、これまで様々な企業や自治体から新事業の創出や拡大についての相談を受け、その支援をしてきました。そのときによく聞かれたのが、「オープンイノベーションがうまく進まない」「スピード感を持って新事業を立ち上げたいが、組む相手をうまく見つけられない」といった悩みです。

森山　自社の中に閉じて開発を行っていては、社会のスピードに対応することはできません。〝自前主義マインド〟から脱しきれないまま、もし画期的な技術を持つスタートアップと出合ったとしても、うまくコミュニケーションが取れないし、仮にM&A（合併・買収）を行ったとしても相手の真価を引き出すのは難しいでしょう。

新里　出合いの幅の狭さも課題です。共創といっても、その企業の既存パートナーや周辺業界と組むだけにとどまっていることが多いのではないかと思います。外部との共創によるオープンイノベーションを志向するなら、より視野を広げて、新たな出合いを求めなくてはなりません。

小谷　成長が世界的に有望視されているヘルスケア産業では、「未病の改善」に関わる分野が注目を集めています。「空間×ヘルスケア 2030」でも目標に掲げている未病の改善ですが、この分野では従来の医療分野の知見に加え、ICT・建設・機械・食品・モビリティ・エンターテインメントなど、多様な産業が関わってくる必要があります。スリープテックやフードテックなどもその一例です。治療を施す「病院」の外側を新たなフィールドとして、そこに異業種が参入し、センシングやAIなどの最新技術を駆使した新しいビジネスが大きく広がっていこうとしているのです。

黒田　社会の様々な分野で「多様なプレーヤーの関わり」が

日経BP 総合研究所
戦略企画部
森山美帆

日経BP 総合研究所
戦略企画部次長
新里はるみ

日経BP 総合研究所
戦略企画部プロデューサー、
新・公民連携最前線
編集長
黒田隆明

日経BP 総合研究所
上席研究員、
Beyond Health
編集長
小谷卓也

求められています。国や自治体など保守的と見られがちな公共の分野でも、民間と連携する事業が増えています。

例えば、広い意味で市民の健康やＱＯＬ（生活の質）の向上に関わってくる「公園」が、最近大きく変わってきています。制度改正を行って民間事業者を参入しやすくしたことで、カフェ、スポーツクラブ、保育園など、従来は公園内であまり見かけなかった施設が設置されるケースが増えてきました。隣接するマンションやショッピングセンターと連携した空間づくりを行う公園も出てきています。多種多様な業種の人が新しく参画することによって公園の魅力が増し、より多くの人に親しまれる場として機能し始めているのです。

ヒト・モノ・アイデアは、情報発信者に還流する

森山　これまで認識していなかったような技術や業界、つまり「ねじれの位置」にいる人同士が出会うことで、イノベーションが誘発されていると言えそうです。では、そうした「ねじれの位置」にいる人たちと出会うにはどうしたらいいのか。そのための手法として私たちが提供しているのが「ビジョナリー・フラッグ・プロジェクト（ＶＦＰ《ブイエフピー》）」です。本書で紹介している「空間×ヘルスケア２０３０」はＶＦＰの第１弾プロジェクトという位置付けになります。

■「メディア丸ごとオープンイノベーション」のイメージ
——持続的な情報発信からムーブメント醸成へ

情報を発信し続けることにより、
ヒト・モノ・アイデアを還流させる
「スパイラル・タイフーン」
を発生させ、
大きなうねりを創り出してゆく

❶潜在課題やビジョンを可視化して旗（ビジョナリー・フラッグ）を掲げる

❷掲げた旗の下に、メディアを核としたプラットフォームから持続的に情報を発信

❸情報発信することで集まってきたヒト・モノ・アイデアを還流させる

❹こうして出会ったパートナーと、「円卓会議」や「実証実験」などを経て、新事業を創出。ムーブメントを醸成し、社会実装につなげていく

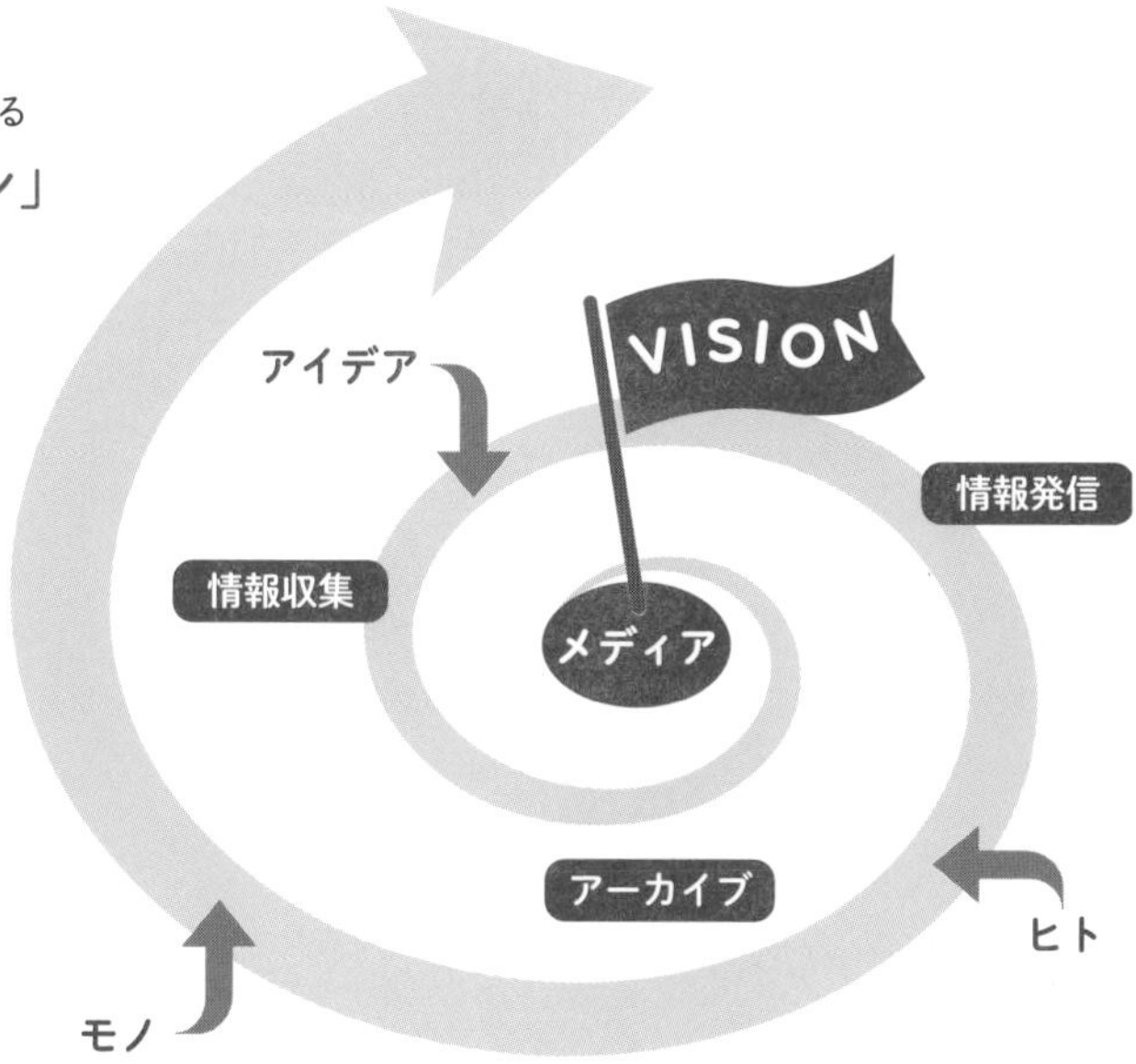

新里　VFPは、メディア企業のリサーチ&コンサルティング集団である私たちの強みを生かしたソリューションです。その特徴を一言で表現するなら、「メディア丸ごとオープンイノベーション」ということになります（上図）。

　信頼ある情報を発信したところに、ヒト・モノ・アイデアは集まってきます。インターネットが普及し、情報発信者へのアクセスが手軽になった今、この特性はより強まっています。

　VFPはこの原則に着目した手法です。ヒト・モノ・アイデアを集めるために、まず情報を発信し続けることが重要です。単発の情報発信は、その場限りの話題で終わってしまいがちだからです。ビジョンを

可視化して旗（ビジョナリー・フラッグ）を掲げ、その旗の下で持続的に情報を発信することでヒト・モノ・アイデアを呼び寄せ、仲間を増やしていく。このように情報を還流させ、ムーブメントを醸成していく一連のプロセスを、私たちは「スパイラル・タイフーン」と呼んでいます。

小谷　「空間×ヘルスケア ２０３０」は、私が編集長を務めるウェブメディア「Beyond Health（ビヨンドヘルス）」を中心に情報を発信しています。２０１９年5月にサイトをローンチしてから、Beyond Healthのアクセス数が増えるにつれ、読者からの情報提供がどんどん増えていきました。

「空間×ヘルスケア ２０３０」の情報発信に関して言えば、未来の住宅「Beyond Home」、未来のワークプレイス「Beyond Workplace」など、それぞれの空間をイラスト化して、「ビジョナリー・フラッグ」（目指すべき未来の旗）を分かりやすく示したことも、大きな反響を呼んだ理由だといえるでしょう（18～25ページ）。こうした「情報の見せ方」については、メディア企業である私たちが最も得意とするところです。

黒田　私たちが発信していく情報は、ニュースや動向解説といった〝記事〟だけにとどまりません。産・官・学・金など各界の最重要キーパーソンを招へいしての「円卓会議」では、議論を尽くした上で様々な社会提言を行っていきます。そして「実証実験」していく過程では、メディアの強みを生かしてそのプロセスを継続的に分かりやすく発信し、社会の反応を素早くフィードバックしていきます。こうして様々な形で情報を発信し続けていくことで、新事業の社会実装を高速で進めていくことができると考えています。

社会課題の解決に資する「未来の旗《ビジョナリー・フラッグ》」を掲げて共感を呼ぶ

黒田　新しいことを社会実装する上で大事になってくるのが、どんな「ビジョナリー・フラッグ（未来の旗）」を掲げるかです。いろいろな企業の相談を受けていて感じるのは、いくら良い技術やアイデアであっても、社内外の共感、つまり広く社会的な共感を得られないと、なかなか前に進めないということです。

まずは掲げるビジョンが社会課題の解決に資するものであること、そして、それを誰もが納得・共感できる形で提示できていることが重要です。現行ルールを変えなくてはいけない場面でも、そんなビジョンがあれば、社会が後押ししてくれます。

新里　新事業を社会課題の解決につなげていくには、まず自社のことを知り、市場を知り、そして未来に進むべき方向を正しく定めた上で目指すべきビジョンを策定する必要があります。

このビジョン策定プロセスも含め、私たちは「新事業を創出・拡大するための3つのステップ」を整理しました。「ステップ1：自社・市場・未来を知る」「ステップ2：ビジョンを描

■新事業を創出・拡大するための3つのステップ
――メディア企業ならではの課題解決ソリューション

STEP 1	STEP 2	STEP 3
自社・市場・未来を知る	ビジョンを描き、旗を掲げる	反応してきた企業・人と組む
調査・分析・未来予測	ビジョン策定・情報発信	パートナー探索・社会提言
●日経BPが多種多様な専門メディアで培ってきた知見を総動員することで、特定の業界内部の視点を超えて、多角的で深い企業分析と事業の棚卸しを提供する。 ●こうして当該企業の強みを“見える化”すると同時に、あるべき姿や課題を切り出し、「社会課題の解決」という大きな枠組みの中で捉え直す。	●バックキャスティングなどの手法により、社会課題の解決と重ね合わせながら、まず明快なビジョン・戦略を策定。その策定したビジョン・戦略を最適な形で社内外に伝える。 ●このプロセスを我々は「旗を掲げる」と表現している。新たなメディアを立ち上げ、より持続的で強力な情報発信を支援することもできる。	●ビジョン（旗）を掲げ、情報を発信していく。すると、ビジョンに共感する企業や人が集まってくる。まったく接点のなかった未知のパートナー候補とのポジティブな出合いが、新事業創出や拡大へとつながっていく。 ●各界のキーパーソンを招へいした「円卓会議」の開催など、さらにピンポイントでの出会いの場づくりも可能。

き、旗を掲げる」「ステップ3：反応してきた企業・人と組む」という3段階です（上表）。

森山　まずステップ1の「自社・市場・未来を知る」。ここでは、私たちが雑誌やネットのメディア活動を通して鍛えてきた、「調べる力」「聞き出す力」「分析する力」「検証する力」が生きていきます。こうして培われた、特定業界内にとどまらない知見を生かし、多角的で深い分析に基づく新事業創出支援を行います。この過程を通じて見えてきた新事業のあるべき姿や解決したい課題を、「社会課題の解決」という大きな枠組みの中で捉え直していきます。その上で「ステップ2：ビジョンを描き、旗を掲げる」という段階に移ります。旗を掲げてメディアを立ち上げ、ムーブメントを醸成することで「ステップ3：反応してきた企業・人と組む」機会が増えていきます。つまり、新たな出合いが生成されていく土台が構築されるのです。

黒田　一連のプロセスでは、様々な業界に精通した日経BP総合研究所の研究員によるチームを編成し、時には業界内外の有識者とも意見交換しながらステップを進めていきます。メディア企業という中立的な立場も、関係者間の利害を超えた合意を得るうえで有利に働きます。

新里　VFPは、この3つのステップによってオープンイノベーションを誘発し、新事業を高速に成長させていきます。しかも、メディア企業である私たちの持つ知見・人脈・情報発信力をフル活用することで、この3ステップを高速で展開することができます。技術の進歩や社会の変化が加速している現代社会においては、「高速」であることこそが、新事業に競争優位をもたらすことができる。私たちはそう考えています。

実際、私たちが掲げた「空間×ヘルスケア2030」というビジョナリー・フラッグには、既に幾つもの企業や自治体から共鳴・賛同の声を頂き、早くも実証実験フェーズに移ろうとしています。私たちは、3つのステップを高速で展開することで「メディア丸ごとオープンイノベーション」を巻き起こし、「空間×ヘルスケア2030」が目指す「健康で幸福な人生100年時代」を創っていきたいと考えています。

TALK

対談

「健康で幸福な人生100年時代」を実現する街づくりに着手

先進自治体・京都府と「空間×ヘルスケア 2030」に挑む

「人生100年時代にふさわしく健康で充実したスマートライフの確立」をうたう京都府。健康で幸福な人生100年時代を目指して、「空間×ヘルスケア 2030」という旗を掲げる日経BP総合研究所。両者のビジョンが共鳴し、社会実装に向けて動き出す。

高橋　街のあらゆる空間を未病の改善に資する空間に変えていく。そして、健康で幸福な人生100年時代を創る――。そんな思いを実現させるために、私たちは「空間×ヘルスケア 2030」というビジョンを掲げ、これからの新しい街の在り方を提言しています。このビジョンの実現に向け、今後、京都府と連携して実証実験などに挑もうとなりました。

山下　「空間×ヘルスケア 2030」に込めた高橋さんのビジョンを聞いて、私が共鳴したのは、オープンな形で思いのある人を受け入れ、多くのパートナーを巻き込みながら人生100年時代を充実させていこうという考え方です。

高橋　私たちは、「空間×ヘルスケア 2030」を実現するために、メディア企業の強みを生

（写真：菅野 勝男）

京都府副知事　**山下晃正**氏（左）
日経BP 総合研究所 戦略企画部長　**高橋博樹**（右）

かして、まず情報を集めて、中立的な立ち位置から発信していきます。情報を発信し続けていると、そこに、ヒト・モノ・アイデアが集まってくる。こうして集まってきたプレーヤーと、具体的な未来を描き、さらに、実証実験を行って、そのプロセスの情報を逐一出していこうとしています。すると、さらに仲間が集まってきてムーブメントが醸成される――。この、いわば「メディア丸ごとオープンイノベーション」ともいうべき手法でどんどん仲間を引き込んでいくことで、社会実装に向けた期間を短縮できると考えています。

山下　けいはんな学研都市（関西文化学術研究都市）では今、実証実験に協力してくれる住民組織「Clubけいはんな」の会員数は、現在2700人に達しています。学研都市は企業の研究施設の誘致だけでなく、研究開発、実証と社会実装がパッケージになって、多くの人を巻き込む仕組みが出来上がっているんです。

振り返ると京都大学の総長だった奥田東先生、そして、京大の人文科学研究所出身で国立民族学博物館をつくった梅棹忠夫先生たちの知恵が集められ、学研都市は「文化や哲学や倫理観といったことを加味しないと、社会の中で技術は生きてこない」という考え方を背景に誕生しました。だから学研都市は研究所だけでなく住宅も開発したんです。

高橋　最近でも、エネルギー住宅をはじめ、MaaS《マース》や働く環境など、学研都市では様々な研究と実証を行っていますね。

山下　はい、いろいろとやっています。ただ、こうしてフィールドは整っているんですが、どうしても行政は広報・広聴が下手なんです。学研都市での取り組みをうまく伝えきれていないところがある。そういう部分はメディアに入ってもらって、声を届けたり、あるいは取り組みに対する反響などの情報を分析したりしてもらったりできると、すごくいいと思っています。

高橋　京都府と私たちが一緒に社会実装への取り組みを進めていく上では、私たちの役割は京都府と社会全体とをつなぐハブになるということだと思います。メディア企業としての私たちが得意とするところです。

山下　メディアが上手なのは、情報を誰にでも理解できる言葉に落とせること。行政用語はどうしても心に響かないこともあります。日経BP 総合研究所には、プロジェクトの中で分かりやすく情報を伝えることで、「こう思い込んでいたけど、違っていたかも」といった気づきを人々から引き出す存在になってもらえればと思っています。

人・街・情報をシームレスにつなぎ、未病を改善

山下　京都府では今、精華町・木津川市・京田辺市と共同でスーパーシティ（政府が提唱する、テクノロジーにより地域の困り事を解決するスマートシティ。2021年夏をめどに5地区程度を選定予定）にチャレンジしようとしています。そして、我々の構想の柱の1つが「人生100年時代にふさわしく健康で充実したスマートライフの確立」です。ここでは、さりげなく見守り、健康を押しつけない健康生活支援ITサービスなどに取り組みます。

そのほか、市販薬やサプリメントも含めた医薬品のデータをみんなで共有できるような仕組みをつくっていくつもりです。日本人は薬を飲むのを嫌いますから、例えば高血圧になったとき「サプリで何とかなりませんか」と医者に聞くわけです。ところが、医師は病院で処方する薬には詳しいのですが、市販のサプリや薬のことは厚生労働省が認可したものであってもよく知らない場合もあります。そのときにサプリの効能を確認できる情報をすぐに呼び出すことができれば「あなたの血圧だと、サプリでは（症状の改善は）無理です」と自信を持って言えるよ

うになります。こうしたデータベースをしっかり整備したいと思っています。

高橋　サプリでは治せない人がいる一方で、薬に頼らなくてもサプリで十分という人もいるでしょう。健康な人、未病状態の人、病気になってしまった人はシームレスにつながっていて、それぞれの人に適切な処方や対応が必要です。そんなときに、医師が処方した薬を調剤する薬剤師が、住民との接点となって気軽に健康相談などができる存在になれば、人々の未病状態の改善を促すことができるはずです。「空間×ヘルスケア２０３０」の取り組みの1つ「Beyond Pharmacy（未来の薬局）」では、薬剤師の役割を再定義したいと考えています。

山下　「Beyond Pharmacy」を表現したイラスト（22〜23ページ）を見せていただきましたが、このように一目瞭然で理解できるような絵で表現するのはいいですね。何しろ、人生１００年時代ってみんなに来るわけですから、誰が見ても分かりやすいことは大事ですよね。

社会へのコミットが、生きる意欲を引き出す

山下　健康長寿でもう1つ大事なのは、そもそも高齢者に生きる意欲を持ってもらうことです。そのためには、働き続けることを含めて、高齢者の方が社会に何らかの形でコミットしてもらえるようにしていきたいですね。

高橋　「社会へのコミット」というのは、高齢者はもちろん、あらゆる人にとって広い意味での健康、QOLを左右する重要な問題です。

オリィ研究所（東京都中央区）の「OriHime（オリヒメ）」というロボットがあります。タブレット端末の画面から、人がロボットを遠隔操作できるので、「分身ロボット」とも呼ばれています。これを使えば、例えば寝たきりの方が、喫茶店に置かれているOriHimeを操作し、OriHimeを介してお客さんと会話したり、コーヒーを運んだりといった接客ができます。スキーム自体はシンプルですが、とてもイノベーティブな取り組みです。

今後、「人々の社会参加を支援する」という観点からテクノロジーの活用を考えていくことは、とても重要なテーマだと感じています。働きたい人は誰もが働けるようになるべきです。分野によっては、100歳でも有能な働き手になれるでしょう。そのためにも、ワークプレイスや働き方の再定義もしていきたいと思っています（65〜100ページ、「Beyond Workplace」）。

山下　我々のスーパーシティ構想でも、そのあたりのことをとても重視しています。一人ひとりの能力は異なるけれど、それぞれの能力をどこかで生かし社会にコミットできるようにしたい。それが人々の幸福につながり、これから目指すべき未来だと思います。

高橋　そんな未来を実現するために、共にビジョナリー・フラッグ（未来の旗）を掲げて進みましょう。

あとがき

共に掲げましょう、「空間×ヘルスケア　２０３０」という未来の旗を！

「健康で幸福な人生１００年」を実現するための空間はどうあるべきか。その社会実装をどう進めればよいか。様々な分野のトップリーダーの皆さんと多角的な視点から検討を加えてきました。そして生まれたのが本書『空間×ヘルスケア　２０３０』です。

まずは今回、「空間×ヘルスケア　２０３０」という未来の旗（ビジョナリー・フラッグ）の下、ご議論いただいたすべての方々に心よりお礼申し上げるとともに、感謝の気持ちと未来の協創に向けた思いから、皆さんを「ＶＦＰ《ブイエフピー》メンバー」と勝手に呼ばせていただきます。表紙にもVisionary Flag Project membersと記させていただきました。

「空間×ヘルスケア　２０３０」という目標は、簡単にはなし得ません。まずは未病の改善に関する正しい情報を広く社会に伝え、その反応を取り入れながらムーブメントを醸成していく必要があります。また、ヘルスケアに関する個人情報の取り扱いといった大きな社会課題については、トップリーダーとのディスカッションを経ての提言を社会に問い、その反応も取り入れながら制度設計につなげていく作業も必要です。さらに、様々な空間を再定義して社会実装するための実証実験も行わなくてはならないでしょう。

そして、「空間×ヘルスケア　２０３０」というビジョナリー・フラッグは、まだ完成には至っていません。いえ、そもそも完成することなく改善を続けるβ版だと思っています。皆さんのアイデア・技術・サービスを、いつでも何度でも取り入れ続けていきたいからです。さらに、本書で検討した住宅、ワークプレイス、薬局、モビリティだけにとどまらず、例えば商業施設、庁舎、学校、公園、そして街全体でも検討を進めていきたいと思っています（ぜひご意見をお寄せください：ＵＲＬはhttps://nkbp.jp/vfp01）。

ぜひ、皆さんも「空間×ヘルスケア　２０３０」というビジョナリー・フラッグを我々と一緒に描き、共に掲げていきましょう。そして、健康で幸福な人生１００年時代を〝みんな〟で迎えられたら、こんなにうれしいことはありません。

日経ＢＰ総合研究所　戦略企画部長　高橋博樹

【著者一覧】

日経BP 総合研究所／Beyond Health

高橋博樹／小谷卓也／黒田隆明／江田憲治／庄子育子／
黒住紗織（初出順）

ライター

伊藤瑳恵／小口正貴＝スプール／村田皓／栗田洋子／
星良孝＝ステラ・メディックス／坂井敦／
林愛子＝サイエンスデザイン／須田昭久／増田克善／
神近博三／佐田節子／近藤寿成＝スプール／森田聡子
（初出順）

見え始めた近未来の新市場

空間×ヘルスケア 2030

2021年6月21日　第1版第1刷発行
2021年9月17日　第1版第2刷発行

編者	日経BP 総合研究所／Beyond Health
発行者	藤井省吾
発行	日経BP
発売	日経BPマーケティング
	〒105-8308　東京都港区虎ノ門4-3-12
装丁	小口翔平＋加瀬梓（tobufune）
デザイン・制作	高多愛　黒田薫　都築香里
表紙イラスト	©kucci,2020
校正	真辺真
印刷・製本	大日本印刷株式会社

ISBN978-4-296-10949-4